MOTS CROISÉS

DICTIONNAIRE FACILE ET PRATIQUE

GILLES AUDETTE

C.P. 325, Succursale Rosemont
Montréal (Québec), Canada H1X 3B8
Téléphone: (514) 522-2244
Télécopieur: (514) 522-6301
Courrier électronique: pnadeau@edimag.com

Éditeur: Pierre Nadeau
Correction: Thérèse Nicolas

Dépôt légal: deuxième trimestre 2000
Bibliothèque nationale du Québec
Bibliothèque nationale du Canada

© 2000, Édimag inc.
Tous droits réservés pour tous pays
ISBN: 2-89542-026-2

TABLE DES MATIÈRES

Édimag inc. est membre de l'Association nationale
des éditeurs de livres.

DISTRIBUTEURS EXCLUSIFS

Pour le Canada et les États-Unis
Les Messageries ADP
955, rue Amherst
Montréal (Québec) H2L 3K4
Téléphone: (514) 523-1182
Télécopieur: (514) 939-0406

Pour la Suisse
Transat S.A.
Route des Jeunes, 4 Ter
C.P. 1210
1 211 Genève 26
Téléphone: (41-22) 342-77-40
Télécopieur: (41-22) 343-46-46

PLUS DE 10 000 DÉFINITIONS

INTRODUCTION

Passe-temps par excellence, les mots croisés semblent toujours plus populaires d'année en année. Des centaines de nouveaux cruciverbistes s'ajoutent en effet chaque mois aux spécialistes déjà établis des grilles de mots, qui emplissent les pages des journaux et magazines, de même que toutes les pages de certains cahiers qui y sont spécialement consacrés.

Ainsi, pour les débutants comme pour les plus expérimentés, il reste toujours quelques définitions difficiles à comprendre ou à trouver dans un dictionnaire conventionnel. C'est pour les aider à accomplir leur tâche que la maison Édimag inc. a mandaté quelques-uns d'entre eux afin de compiler une liste de définitions et de réponses aux principaux mots croisés publiés au Québec.

En résulte un ouvrage riche de mots et de découvertes pour les amateurs de ce jeu à la fois si simple et, parfois, si compliqué! Évidemment, il serait illusoire de croire que l'ouvrage que vous tenez entre vos mains est exhaustif. Toutefois, il reste un outil de référence que vous pouvez vous-mêmes annoter. Après tout, le plaisir est dans le dépassement de soi et dans l'enrichissement de sa propre culture.

NOTES DE CONSULTATION

1. Un genre de nombre
Il aurait été inutile d'entrer chaque mot sous ses nombres singulier et pluriel, de même que sous ses genre masculin et féminin. Pour faciliter la consultation, chaque nom, adjectif ou verbe est au masculin singulier. Seules quelques entrées sont présentées au féminin ou au pluriel, comme dans le cas des «ases». Les noms de ces dieux guerriers ne sont jamais écrits autrement qu'au pluriel.

2. L'infinitif et ses auxiliaires

Les verbes sont tous entrés sous leur mode infinitif. Dans un mot croisé par exemple, on peut demander «Démontre de l'affection». Ici, vous trouverez cette définition sous «Démontrer de l'affection». Cela évite d'avoir à chercher des formes particulières du verbe comme «Démontrèrent de l'affection» pour dire «aimèrent».

De plus, vous ne trouverez pas ici les définitions pour «d'un auxiliaire» ou «d'un verbe gai». Allez toujours consulter l'infinitif du verbe, soit «avoir», «être» ou «rire». Par exemple, «une partie composée du verbe aller» peut donner simplement «va» mais aussi «allâmes». Il y a tant de possibilités qu'il serait illusoire de les inclure toutes dans un seul livre.

3. Cherchez le «qui»

Vous lisez une définition qui commence par un pronom, par exemple. «elle proteste tout le temps». Cherchez dans ce dictionnaire à partir de «qui». Cela évite d'avoir des entrées au masculin et au féminin.

Le même principe s'applique si vous lisez une définition commençant par «c'était». Cherchez ici «ancien».

4. Bannis, les prénoms...

Il arrive qu'on vous demande de trouver le prénom d'un homme ou d'une femme quelconque. Ne les cherchez surtout pas dans ce livre! Il n'était aucunement question ici de commencer à entrer tous les prénoms qui figurent au registre de l'État civil!

Pour la même raison, vous ne trouverez pas toutes les possibilités de noms propres dans ce livre, mais seulement les plus usités dans les mots croisés.

5. ... et les noms trop communs

Il y a tant de variétés de fruits et de légumes qu'il serait impensable de tous les inclure dans cet ouvrage. Ne sont donc entrés ici que les fruits et légumes ayant des références particulières. Par exemple, le fruit d'Adam est évidemment la pomme. Si vous rencontrez la question «fruit», vous devrez donc faire travailler vos méninges!

La même règle s'applique notamment pour les plantes et les poissons.

6. Des chiffres et des lettres

Des chiffres, des chiffres romains et des lettres grecques, il y en a tant qu'on n'a pu tous les entrer. Nous nous en sommes tenus à ce qu'on rencontre le plus souvent dans les mots croisés. Évidemment, si on vous demande «17 en chiffres romains», vous devrez découvrir par vous même que la réponse est XVII.

Il en est de même, vous pourrez vous en rendre compte, pour ce qui est des adjectifs numéraux. Comme il y en a à l'infini, nous nous sommes contentés de un, deux, trois exemples...

7. Du caractère!

Les mots et expressions ayant des espaces et des apostrophes sont parfois difficiles à repérer. Dites-vous que l'espace vient en premier, que l'apostrophe arrive avant la lettre et que le trait d'union suit cette dernière. Dans une liste, cela donnerait un peu ceci:

A a
A'a
Aa
A-a

8. Du mordant!

Que dire des milliers d'espèces animales et végétales de ce monde? Nous nous en sommes tenus, encore une fois, aux noms que l'on rencontre le plus fréquemment dans les mots croisés d'ici. Mais parfois, les réponses surprennent!

DICTIONNAIRE

... Baba : ALI
... Capone : AL
... culpa : MEA
... de Brest : TONNERRE
... de terre : POMME, VER
... et Cléopâtre : CÉSAR
... flottante, en cuisine : ÎLE
... Nino : EL
... postal : CODE

A

A beaucoup de fans : IDOLE
À cet endroit : LÀ
A cours aux États-Unis : DOLLAR
A cours en Extrême-Orient : SEN ou YEN
A cours en Scandinavie : ORE
A cours en Suède : ORE
A déjà été utilisé comme outil : SILEX
A des aiguilles : IF
A deux branches : TÉ
A été composé pour deux instruments :
     DUO
A été visitée en 1969 : LUNE
À eux, à elles : LEUR, LEURS

À l'écart : RETIRÉ
À l'est du Canada : TERRE-NEUVE
À l'ouest de l'Espagne : PORTUGAL
À l'ouest de la Turquie : BULGARIE, GRÂCE
À la campagne, en France : LIEU-DIT
À la fin d'une énumération, d'une liste :
    ETC.
À la fin d'une lettre, d'une missive : P-S.
À la fin de la journée : SOIR
A la forme d'une lettre : ESSE, TÉ
À la main de l'escrimeur : ÉPÉE, FLEURET,
    SABRE
À la mode : IN
À lui, à elle : SA, SES, SON
À moi : MA, MES, MON
À nous : NOS, NOTRE
À poil : NU
À toi : TA, TES, TON
A un fan club : IDOLE
À un niveau inférieur : BAS
À une extrémité des bouteilles de vin :
    LIÈGE
À une heure avancée : TARD
À vous : VOS, VOTRE
Abandon : CESSION
Abandonner : CÉDER, DÉSERTER,
    RENONCER
Abasourdi : SIDÉRÉ
Abattre : COUPER, TUER

Abîmer : DÉTÉRIORER

Abject : ODIEUX, VIL

Ablation chirurgicale d'un rein :
     NÉPHRECTOMIE

Abominable homme des neiges : YÉTI

Abominable : ATROCE

Aboutissement : ISSUE

Abréviation chrétienne : ND, NS, RP, ST,
     STE

Abréviation d'une distance, d'une longueur :
     CM, DAM, DM, HM, KM, MM

Abréviation d'une quantité de liquide : CL,
     DAL, DL, HL, KL, ML

Abréviation de numéros : NOS

Abréviation médicale : DR, ORL, OP

Abréviation religieuse : ND, ST, STE

Abri de toile : TAUD, TAUDE

Abruti : HÉBÉTÉ

Absence : OMISSION

Absent : PARTI

Absorber dans une activité intellectuelle :
     CONCENTRER

Absorber : SUCER

Accompagner : MENER

Accord complet des opinions : UNANIMITÉ

Accord : UNITÉ

Accrocher : PENDRE

Accueillir : RECEVOIR

Accumulation : AMAS, TAS

Accumuler : AMASSER
Acheter : ACQUÉRIR
Acheteur : ACQUÉREUR, CLIENT
Acide ribonucléique : A.R.N.
Acidulé : SURET
Acquéreur : ACHETEUR
Acquérir : ACHETER
Acquisition mnémonique volontaire :
    MÉMORISATION
Acte extravagant : EXCENTRICITÉ
Acte législatif qui émanait du roi : ÉDIT
Actes de violence commis contre des
    populations : EXACTIONS
Actif : AGISSANT
Actinium : AC
Action criminelle : SCÉLÉRATESSE
Action d'aller se promener : SORTIE
Action d'obtenir en payant : ACHAT
Action de déplacer quelqu'un ou quelque
    chose : TRANSFERT
Action de détacher les grains :
    ÉGRAINAGE, ÉGRAPPAGE,
    ÉGRENAGE
Action de déterminer l'importance :
    ÉVALUATION
Action de faire passer un bateau dans un sas:
    ÉCLUSAGE
Action de fournir des capitaux :
    FINANCEMENT

Action de justifier : LÉGITIMATION
Action de lancer une balle : TIR
Action de mélanger avec un liquide :
    DILUTION
Action de nier : DÉNÉGATION
Action de passer d'un côté à l'autre :
    TRAVERSÉE
Action de remplacer une équipe par une
    autre : RELÈVE
Action de rendre ordinaire :
    BANALISATION
Action de s'en aller de tous côtés :
    DISPERSEMENT
Action de s'inscrire à un parti : ADHÉSION
Action de se manifester : ÉVEIL
Action de sélectionner : TRI
Action de serrer davantage :
    RESSERREMENT
Action de sortir de sa torpeur : ÉVEIL
Action de sortir sans permission : ÉVASION
Action méchante : VACHERIE
Actionner : MOUVOIR
Actrice d'un jeune âge : STARLETTE
Adjectif numéral : UN, DEUX, TROIS... DIX,
    VINGT, TRENTE...
Admettons... : SOIT
Administrer : GÉRER
Admirateur : FAN
Admiration passionnée : ENTHOUSIASME

Adresse : HABILETÉ
Affaiblir : USER
Affaiblissement : USURE
Affection des artères : ANÉVRISME,
    ARTÉRIOSCLÉROSE, ARTÉRITE,
    ATHÉROME
Afficher de la bravoure : CRÂNER
Affirmation de félibre : OC
Affirmation : SI
Affluent d'une rivière : RUISSEAU
Affluent de l'Oubangui : OUELLÉ, UÉLÉ
Affluent de la Seine : EURE
Affûter : AIGUISER
Agent de police : POULET
Agent secret de Louis XV : ÉON
Agglomération relativement importante :
    VILLE
Agile : LESTE
Agitation : ÉMOI
Agiter doucement : BERCER
Agiter : REMUER
Agnus-Castus : GATTILIER
Agréable : RIANT
Aide à fixer les teintures : ALUN
Aimer à l'excès : RAFFOLER
Aimer : ADORER
Aire de vent : ENE, ESE, EST, NE, NNE,
    NNO, NO, NORD, ONO, OSO,
    OUEST, SE, SO, SSE, SSO, SUD

Ajouter une chose à une autre :
ADDITIONNER
Alcaloïde de la fève de Calabar : ÉSÉRINE
Alimenter : NOURRIR
Allécher : SÉDUIRE
Alléger : ÉCRÉMER
Aller à l'intérieur de : ENTRER
Aller çà et là : ERRER
Aller de fleur en fleur : BUTINER
Allez, en latin : ITE
Allié : AMI
Allonger : ÉTIRER
Allumer : OUVRIR
Alouette d'Afrique du Nord et d'Europe du
Sud-Est : SIRLI
Altération de la santé : MALADIE
Altération des aliments : ÉVENT
Altérer l'éclat de : FANER
Altérer par l'air : ÉVENTER
Aluminium : AL
Amant d'Aphrodite : ANCHISE
Amas confus de choses : FATRAS
Amateur de livres rares et précieux :
BIBLIOPHILE
Amateur de musique : MÉLOMANE
Amener à soi, vers soi : ATTIRER
Ami d'Ulysse : MENTOR
Ami : ALLIÉ
Amoindrissement des forces : USURE

Amoncellement : TAS

Amphibien conservant sa queue à la métamorphose : URODÈLE

Ampoule allumée dans les bandes dessinées: IDÉE

Anaconda : EUNECTE

Analyser minutieusement : DÉCORTIQUER

Ancien bouclier : ÉCU

Ancien do : UT

Ancien oui, ancienne affirmation : OC

Ancien poète : AÈDE

Ancienne armée à l'époque féodale : OST

Ancienne armée : OST

Ancienne monnaie de bronze : AS

Ancienne monnaie : ÉCU, SOU

Ancienne note : UT

Ancienne pièce, de cuivre ou de bronze : SOU

Ancienne réponse, dans la moitié sud de la France : OC

Ancienne voile : HUNIER

Andouille : CRÉTIN, NIAIS

Angoisse irraisonnée : TRAC

Animal marin : CÉTACÉ (voir Cétacé), MÉDUSE, POISSON (tous les poissons)

Animal ruminant : ANTILOPE, BŒUF, CERF, CHAMEAU, CHÈVRE, GIRAFE, LAMA, MOUTON, OKAPI, RENNE,

VIGOGNE

Animaux d'élevage d'une ferme : BÉTAIL

Animé du désir d'apprendre : CURIEUX

Anneau de cordage : ERSE

Anneau : MÉTAMÈRE

Antagonisme : RIVALITÉ

Ante meridiem : A. M.

Anthropophagie : CANNIBALISME

Apaiser sa soif : BOIRE

Apaiser : ASSOUVIR, BERCER

Apathie : INDOLENCE

Apéro : PASTIS

Aplanir : NIVELER

Aplatir : ÉCRASER

Appareil cylindrique : TUBE

Appareil de détection sous-marine : SONAR

Appareil de fermeture : SERRURE

Appareil de gymnastique : AGRÈS,
        ANNEAUX, BARRE, TRAPÈZE

Appareil servant à déterminer la profondeur
        de l'eau et la nature du fond : SONDE

Appartenir : ÊTRE

Appartient au groupe des Rom : GITAN

Appât fixé à l'hameçon : AICHE, ÈCHE,
        ESCHE

Appât : ÉCHO, MOUCHE

Appel de détresse : SOS

Appeler : HÉLER

Application : ATTENTION

Apporter un moyen propre à diminuer un
    mal : REMÉDIER
Appréhender : ARRÊTER
Apprendre : SAVOIR
Apprêt de viande moulé et consommé froid :
    TERRINE
Apprivoiser : DOMESTIQUER
Approuver : AGRÉER
Appuyé sur son séant : ASSIS
Appuyer fortement : PESER
Après l'avant-midi : MIDI, NUIT, P. M.,
    SOIR
Après le do : RÉ
Après le fa : SOL
Après le la : SI
Après le mi : FA
Après le ré : MI
Après le si : DO
Après le sol : LA
Après moi : TOI
Après un coup : AÏE
Après vous : ILS, ELLES
Après-midi : P. M.
Arabe : EL
Araignée : ÉPEIRE, TÉGÉNAIRE
Arbre à baies rouges : IF
Arbre à bois dur : TEC, TECK
Arbre cultivé en Indonésie pour ses fleurs :
    ILANG-ILANG

Arbre d'Arabie, à teinture rouge : HENNÉ
Arbre de grande taille originaire de la
      Guyane : HÉVÉA
Arbre de l'Inde : SAL
Arbre des régions tropicales : AILANTE
Arbre fruitier d'Asie : LITCHI, LETCHI
Arbre fruitier : ABRICOTIER, CERISIER,
      OLIVIER, ORANGER, POMMIER,
      PRUNIER
Arbre : CONIFÈRE (tous les conifères)
      ÉRABLE, FEUILLU (tous les feuillus)
      ORME, PALMIER, PIN, SAPIN,
      SAULE, TREMBLE...
Arbrisseau à fleurs jaunes : FORSYTHIA
Arbrisseau du littoral méditerranéen :
      GATTILIER
Arbuste du Yémen : KHAT, QAT
Arc brisé gothique : OGIVE
Arc : ARME
Arénicole : VER
Argent : AG
Argent : BLÉ, OSEILLE
Argile : SIL
Argon : AR
Arme à feu : ARQUEBUSE, CANON,
      CARABINE, ESCOPETTE, FUSIL,
      MITRAILLETTE, MITRAILLEUSE,
      MOUSQUET, PISTOLET, REVOLVER
Arme antiaérienne : CANON, FUSÉE,

ENGIN, ROQUETTE

Arme antichar : BAZOOKA, CANON

Arme de choc : BÂTON, CANNE, CASSE-TÊTE, COUP-DE-POING, MAILLET, MARTEAU, MASSE, MASSUE, MATRAQUE

Arme de jet : ANGON, ARBALÈTE, ARC, BOOMERANG, FRONDE, JAVELINE, JAVELOT, SAGAIE

Arme de main : BAÏONNETTE, CIMETERRE, COUTEAU, COUTELAS, DAGUE, ÉPÉE, GLAIVE, POIGNARD, SABRE, STYLET

Arme de sagittaire : ARC

Arme : ARGUMENT, ARSENAL, EXPLOIT, MOYEN, PANOPLIE, RESSOURCE

Armée irlandaise : IRA

Arôme : ODEUR

Arracher des broussailles : DÉBROUSSAILLER, ESSARTER

Arrêt d'une hémorragie : HÉMOSTASE

Arrêt de la circulation d'un liquide organique : STASE

Arrêt : GEL

Arrêter l'écoulement d'un liquide : ÉTANCHER

Arriver : VENIR

Arrose Chartes : EURE

Arrose Romans : ISÈRE

Arrose Strasbourg : ILL

Arrose Turin : PÔ

Art : ARCHITECTURE, CINÉMA, DANSE, LITTÉRATURE, MUSIQUE, PEINTURE, PHOTOGRAPHIE, SCULPTURE

Artère : AORTE, CAROTIDE

Article au pays du rioja : EL

Article contracté : AU

Article défini : LE, LA, LES

Article espagnol : EL

Article indéfini : UN, UNE, DES

Artisan : CORDONNIER, FORGERON, SERRURIER

Artiste : ACTEUR, ARCHITECTE, CHANTEUR, COMÉDIEN, DESSINATEUR, ÉCRIVAIN, INTERPRÈTE, MIME, MUSICIEN, PEINTRE, PIANISTE, POÈTE, SCULPTEUR, VENTRILOQUE (et plusieurs autres)

Asa-fœtida : ASE

Ascaride : VER

Ases : BALDER, ODIN, THOR

Aspect d'un lieu dans lequel se situe une action : DÉCOR

Aspirer avec la bouche : SUCER

Aspirer du tabac par le nez : PRISER

Assassin : MEURTRIER, TUEUR

Assassinat : HOMICIDE
Assemblage en grappe de certains fruits :
     RÉGIME
Assemblée politique : DIÈTE
Assemblée : SÉNAT
Assembler deux cordages : ÉPISSER
Assembler : ENTER, RIVER
Assiette large et creuse : ÉCUELLE
Assister de nouveau à : REVOIR
Association européenne de libre-échange :
     AELE
Assommé : K.O.
Astate : AT
Astuce : RUSE, TRUC
Athéna en est une : DÉESSE
Athéna prenait ses traits : MENTOR
Atoll : ŒLE
Atome : ION
Attacher à une voiture : ATTELER
Attacher : LIER
Attaquer : AGRESSER
Atteindre : LÉSER
Atteint d'une maladie héréditaire : TARÉ
Attelle : ÉCLISSE
Attendre avec confiance : ESPÉRER
Attendrir : ÉMOUVOIR
Attention : SOIN
Atténuer l'acuité de : ENDORMIR

Attestation écrite par laquelle un créancier
    déclare un débiteur quitte envers lui :
    QUITTANCE
Attirail embarrassant : BATACLAN
Attire ceux qui volent : OR
Attirer l'attention de : ALERTER
Au bout du biberon : TÉTINE
Au courant : AVERTI, IN
Au début d'un appel : ALLÔ
Au début d'une journée : MATIN
Au début de la semaine : DIMANCHE,
    LUNDI, MARDI
Au fond d'un récipient : LIE
Au milieu d'une journée : MIDI
Au milieu des eaux : ÎLE, ÎLOT
Au milieu du jambon : OS
Au moyen de : PAR
Au nord : ARCTIQUE
Au nord-ouest de Bruxelles : ASSE
Au secours! : SOS
Au sud : ANTARCTIQUE, ÉTATS-UNIS,
    USA
Aucune chose : RIEN
Augmenter de volume : ENFLER
Aurochs : URE, URUS
Aussi : ÉGALEMENT
Austère : SÉVÈRE
Auteur d'écrits satiriques : PAMPHLÉTAIRE
Auteur de *Mein Kampf* : ADOLF HITLER

Auteur de pièces de théâtre :
    DRAMATURGE
Auteur dramatique anglais : FRANCIS
    BEAUMONT
Auteur italien : UMBERTO ECO
Authentique : RÉEL
Autour des poumons : CAGE
Autour du cou : COL
Autre nom de l'Irlande : ÉRIN
Autrichien : EUROPÉEN
Aux caractéristiques précises : DÉFINI
Aux échecs : ÉCHEC, MAT
Avachir : USER
Avancer dans l'eau : NAGER
Avancer sans marcher ni courir : RAMPER
Avant cinq : QUATRE
Avant de sauter : ÉLAN
Avant deux : UN
Avant eux : VOUS
Avant l'après-midi : A. M., MATIN,
    MATINÉE, MIDI
Avant l'automne : ÉTÉ, SEPTEMBRE
Avant l'entrée : APÉRITIF
Avant l'été : MAI, PRINTEMPS
Avant l'hiver : AUTOMNE, DÉCEMBRE
Avant la belle saison : MAI
Avant la fête de Noël : AVENT
Avant la mort : AGONIE
Avant le moment habituel : TÔT

Avant le printemps : HIVER, MARS
Avant les autres : UNS, UNES
Avant lui : TOI
Avant Nino : EL
Avant quatre : TROIS
Avant toi : MOI
Avant trois : DEUX
Avant vous : NOUS
Avant : AV
Avare : CUPIDE
Ave Maria : PRIÈRE
Avec lui, pas besoin d'aller au petit coin :
        URINAL
Aven : IGUE
Averti : AVISÉ
Avide d'argent : CUPIDE
Avidité à manger : VORACITÉ
Avion de petite taille : ULM
Avion : AÉRONEF
Avoir de la peine à se décider : HÉSITER
Avoir des traits communs avec :
        RESSEMBLER
Avoir du culot : OSER
Avoir l'idée de : IMAGINER
Avoir le front de : OSER
Avoir très chaud : SUER
Avoir très froid : GELER
Avoir un certain poids : PESER
Avoir un léger mouvement sinueux :
        ONDULER

Avoir un moment de répit : RESPIRER
Avoir un penchant pour : AIMER
Avoir une réalité : ÊTRE
Avouer sa faute : MEA-CULPA

B

Badigeonner : ENDUIRE
Bagarre : RIF
Bagatelle : RIEN
Baie au Japon : ISE
Baigne Ferrare : PÔ
Baigne l'Engadine : INN
Baisser les bras : CÉDER, PLIER
Balade : PROMENADE, SORTIE
Baleine : CÉTACÉ
Balle de service que l'adversaire ne peut
      toucher : ACE
Banal : ÉCULÉ, USÉ
Bananier des Philippines : ABACA
Barricader : FERMER
Barrique pour conserver les harengs salés :
      CAQUE
Baryum : BA
Bat la dame : AS, ROI
Bataille : MÊLÉE
Bâtiment d'une certaine importance :
      IMMEUBLE

Bâton pastoral : TAU
Bavardage continuel, enfantin ou futile :
    BABIL
Bavardage : BABILLAGE
Belle fleur : ROSE
Béryllium : BE
Bête à sabots : URE
Bête : STUPIDE
Bêtise : RIEN
Bévue : ERREUR
Bien avant eux : MOI
Bien avant le divorce : NOCE
Bien marqué : NET
Bienheureux et paisible : BÉAT
Bienheureux : ÉLU
Bière : ALE, PORTER, STOUT
Bière : CERCUEIL
Biffer : RATURER
Bigrement : TRÈS
Biologiste américain : EDWARD LAWRIE
    TATUM
Blâmer : DÉSAPPROUVER
Blatte : CANCRELAT
Blazer : VESTE
Blesser : AMOCHER
Bleu employé en teinturerie : GUÈDE
Bloc compact : MASSE
Bloc épais généralement de forme cubique :
    PAVÉ

Blocage : GEL
Bœuf sauvage qui n'existe plus : URE
Boire à coups de langue : LAPER
Boire du lait : TÉTER
Bois apprécié en ébénisterie : ÉRABLE
Bois de placage de couleur rosée utilisé en
     marqueterie : ROSE
Bois précieux : ÉBÈNE
Bois que l'on a dépouillé de son écorce :
     PELARD
Bois : CHÊNE, ÉBÈNE, ÉRABLE, MERISIER,
     PIN (et d'autres...)
Boisson : ALE, BIÈRE
Boîte : ÉTUI
Bon imitateur : ARA
Bonne action : B.A.
Bonne humeur : GAIETÉ
Bonne intention : RÉSOLUTION
Bord d'un bois : ORÉE
Bord d'un cours d'eau : RIVE
Bordé de petites échancrures : DENTELÉ
Borde un escalier du côté du vide : RAMPE
Borné : OBTUS
Boue : VASE
Bouffe célèbre : CÈNE
Bouger les bras et les jambes : NAGER
Bouille : TÊTE
Boulette de minerai : PELLET
Boulevard : RUE

Bouquin : LIVRE
Bouquiner : LIRE
Bourrique : ÂNE
Bout de la mamelle des animaux : TETTE
Boxeur américain : MUHAMMAD ALI
      (CASSIUS CLAY)
Braiment : CRI
Bramer : RAIRE, RÉER
Branché : IN
Braver avec insolence : NARGUER
Briller : ÉTINCELER, LUIRE
Briser des morceaux de terre : ÉMOTTER
Briser les dents de : ÉDENTER
Brochure distribuée à des fins de
      propagande: TRACT
Brome : BR
Broyer une plante textile : TEILLER, TILLER
Broyer : PILER
Bruit confus de voix : RUMEUR
Bruit de tambour : RA
Bruit sourd et continu : RONRON
Brûler un tissu avec un agent physique :
      CAUTÉRISER
Brun clair, tirant sur le roux : NOISETTE
Brun-jaune : OCRE
Brun-rouge, en parlant d'un cheval : BAI
Buffet rustique long et bas : BAHUT
Buffle sauvage : GAUR

31

C

C'est hors de question : NON
C'est le paradis : ÉDEN
C'est plus qu'un : PLURIEL
C'est un bon roulement : RA
C'est un chef : AGA, AGHA
C'est un drame : NÔ
C'est un gaz : NÉON
C'est un petit jeu qui se joue à deux! : GO
C'est un spécialiste : CHIRURGIEN (et
    toutes les disciplines particulières de la
    médecine...)
C'est une heure : MIDI, MINUIT
C'est-à-dire : I.E.
Câblé : IN
Cacher (se) : TERRER
Cacher : CELER, TAIRE
Cadmium : CD
Césium : CS
Cale qui a la forme d'une lettre : VE
Calme : QUIET
Camarade : AMI
Cambriolage : LARCIN, VOL
Cambrioleur : VOLEUR
Canal d'évacuation des eaux : CANIVEAU
Canapé rembourré : SOFA

Canard à bec rouge et à plumage
     multicolore: TADORNE
Canard des pays du Nord : EIDER
Cancrelat : BLATTE
Canevas d'un roman : SCÉNARIO
Canine : DENT
Canne à pêche : GAULE
Canneberge : ATOCA
Cantonner : ISOLER
Capable de : APTE
Capitale de l'État de New York : ALBANY
Capitale de l'Iran : TÉHÉRAN
Capitale de la Corée du Sud : SÉOUL
Capitale de la République de Cuba : LA
     HAVANE
Capitale de la Syrie : DAMAS
Capitale italienne : ROME
Capturer : ARRÊTER
Capucin : SAÏ
Caractère d'une personne bienveillante :
     BONTÉ
Caractère de ce qui dure toujours :
     PÉRENNITÉ
Caractère de ce qui est bas : LAIDEUR
Caractère de ce qui est conforme à un idéal
     esthétique : BEAUTÉ
Caractère de ce qui est droit : RECTITUDE
Caractère de ce qui est nocif pour les êtres
     vivants : TOXICITÉ

Caractère de ce qui est sans gravité :
LÉGÈRETÉ

Caractère de ce qui n'est pas mesquin :
LARGEUR

Caractère de quelqu'un qui sert à quelque
chose : UTILITÉ

Carburant : DIESEL, ESSENCE

Carence en vitamine : AVITAMINOSE

Carnage : TUERIE

Carnation : TEINT

Carnaval célèbre : RIO

Carnivore : CARNASSIER

Carte : AS, CARREAU, CŒUR, DAME,
PIQUE, REINE, ROI, TRÈFLE, VALET

Cartouche : MUNITION

Cas qui nécessite une intervention
chirurgicale rapide : URGENCE

Casque en métal : ARMET

Catastrophe : CALAMITÉ, TRAGÉDIE

Catégorie dans un classement : RUBRIQUE

Cauchemar : RÊVE

Causer des dommages considérables :
RAVAGER

Causer la perte de quelqu'un : RUINER

Caustique et stimulant : DÉCAPANT

Cavalier dans les courses de taureaux :
PICADOR

Cavité naturelle ou creusée par l'homme :
FOSSE

Cavité : TROU

Ce n'est pas du tout le bon endroit où faire un jardin : REG

Ce n'est pas un amateur : PRO

Ce n'est pas un colosse : NAIN

Ce ne sont pas encore des adultes : ADOLESCENTS

Ce qu'apprend un comédien : RÔLE

Ce qu'il y a de savoureux dans un texte : SEL

Ce que l'on mange : ALIMENT

Ce qui arrive : CAS

Ce qui assure contre un risque : PROTECTION

Ce qui attache : LIEN

Ce qui brille d'un faux éclat : STRASS

Ce qui cache les dents : LÈVRE

Ce qui constitue le point essentiel : NŒUD

Ce qui est condamné par la morale : MAL

Ce qui est très petit : IOTA

Ce qui n'a pas été mangé : RESTE

Ce qui orne la tête : COIFFURE

Ce qui permet l'accès à quelque chose : CLÉ

Ce qui tombe d'une matière qu'on travaille : DÉCHET

Cébidé : ATÈLE

Ceinture : OBI

Cela : ÇA

Célèbre bouffe : CÈNE

Célébrer : FÊTER
Celle de l'Allemagne a jadis été gammée :
        CROIX
Celle des Ardennes fut l'ultime contre-
        offensive des Allemands : BATAILLE
Cellule : NEURONE
Celui de Nantes, par exemple : ÉDIT
Celui des Indiens, par exemple : ÉTÉ
Celui du colibri est long et mince : BEC
Celui ou celle qui reçoit des leçons : ÉLÈVE
Celui qu'on a choisi : ÉLU
Celui qui apporte le salut : SAUVEUR
Celui qui met des graines en terre :
        SEMEUR
Celui qui prépare la route aux autres :
        PIONNIER
Celui qui rédige un travail littéraire pour
        quelqu'un : NÈGRE
Celui qui se bat : BOXEUR, LUTTEUR
Centilitre : CL
Centimètre : CM
Cercle pigmenté : ARÉOLE
Cercle : ROND
Cercueil : BIÈRE
Céréale : AVOINE
Cérémonial quelconque : RITE
Cerf : ÉLAN
Cérium : CE
Certain : SÛR

Certains le font germer : BLÉ
Certains se méfient de lui : RÔDEUR
Cessation des hostilités : PAIX
Cessation : ARRÊT
Cétacé : BALEINE, CACHALOT,
	DAUPHIN, MARSOUIN, NARVAL
Cette première chose : CECI
Chacune des couches de matériaux qui
	constituent un terrain : STRATE
Chaîne de l'Atlas tellien : BIBANS
Chaîne de montagnes : ALPES, ANDES,
	APPALACHES, ATLAS, CORDILLÈRE,
	HIMALAYA, ROCHEUSES, SIERRA
Chaise : SIÈGE
Chamois : ISARD
Champignon : AGARIC, AMANITE,
	BOLET, CÈPE, CHANTERELLE,
	CLAVAIRE, COPRIN, COULEMELLE,
	FISTULINE, HELVELLE, HÉRISSON,
	HYDNE, LACTAIRE, MORILLE,
	MOUSSERON, ORONGE,
	PSALLIOTE, RUSSULE, SOUCHETTE
Champignon : MOISISSURE
Champion : AS
Chanceler : OSCILLER
Chanceux : VEINARD, VERNI
Changement d'intonation : INFLEXION
Changement : PHASE
Changer de poil : MUER

Changer de poste : MUTER

Chanson braillée à tue-tête : BEUGLANTE

Chanter mal et fort : BEUGLER, BRAILLER, BRAIRE, BRAMER, ÉGOSILLER

Chanter : FREDONNER, IODLER, IOULER, JODLER, SOLFIER, VOCALISER

Chanteuse de jazz américaine : ELLA FITZGERALD

Chanteuse : CANTATRICE

Chanvre de Manille : ABACA

Chaque ville en a un : MAIRE

Charge donnée à quelqu'un d'accomplir une tâche définie : MISSION

Chat retourné à l'état sauvage : HARET

Chat sauvage de grande taille : OCELOT

Chat sauvage : GUÉPARD, OCELOT, SERVAL

Chat : MATOU, MINET, MINOU, MISTIGRI

Château des princes de Guise : EU

Chatouiller : TITILLER

Chauffeur de camion : ROUTIER

Chauve : PELÉ

Chef de la Gestapo : HIMMLER

Chef du gouvernement provisoire de la République française : CHARLES DE GAULLE

Chef-lieu de canton de la Charente : JARNAC

Chef-lieu de canton des Deux-Sèvres :
MELLE
Chef-lieu de canton du Loiret, sur la Loire :
GIEN
Chef-lieu de canton du Lot : CAJARC
Chemin de fer : RAIL
Chercher pour découvrir des choses cachées :
FURETER
Chercher : FOUILLER
Chérir : AIMER
Cheval qui a des taches blanches aux pieds :
BALZAN
Cheval retourné à l'état sauvage : TARPAN
Chevalier né à Tonnerre : ÉON
Cheveu : POIL, TIF, TIFFE
Cheveux : ÉPI
Cheville : TEE
Chevronné : ÉMÉRITE
Chez nous : ICI
Chicago s'y trouve : ILLINOIS, ÉTATS-
UNIS, USA
Chicaner sur des riens : ERGOTER
Chien : CABOT, DINGO, OTOCYON,
TOUTOU
Chien, races et types : BARBET, BASSET,
BEAGLE, BERGER, BICHON,
BOULEDOGUE, BOUVIER, BOXER,
BRAQUE, BRIARD, BRIQUET, BULL-
TERRIER, CANICHE, CARLIN,

CHOW-CHOW, CLABAUD, COCKER, COLLEY, CORNIAUD, DALMATIEN, DANOIS, DOGUE, ÉPAGNEUL, FOX, GRIFFON, HAVANAIS, KING-CHARLES, LÉVRIER, LEVRETTE, LIMIER, LOULOU, MALINOIS, MASTIFF, MÂTIN, MOLOSSE, PÉKINOIS, POINTER, RATIER, ROQUET, SAINT-BERNARD, SETTER, SLOUGHI, TECKEL, TERRE-NEUVE, TERRIER

Chiffres romains : I, II, III, IV, V, VI, VII, VIII, IX, X, L, C, D, M (et plusieurs autres combinaisons possibles)

Chimère : RÊVE

Chimérique : UTOPIQUE

Chinois célèbre : MAO

Chinook : VENT

Choisir entre plusieurs possibilités : OPTER

Choix : OU

Chose difficile à trouver : RARETÉ

Chose qu'on expédie : ENVOI

Chose sans valeur : RIEN

Chrome : CR

Chute à la renverse : CULBUTE

Cible : BUT

Cigare : NINAS

Cil : POIL

Cime : SOMMET

Cimenter : CONSOLIDER
Circonstance qui vient à propos :
     OCCASION
Cité antique : OUR, UR
Citron, petit : LIMETTE
Clair, pur et calme : SEREIN
Clarté : NETTETÉ
Classement : TRI
Classer par nature : SÉRIER
Classer : TRIER
Clavicule : OS
Cloison : MUR
Coaguler : CAILLER
Cobalt : CO
Coccyx : OS
Cocorico : CRI
Code : MORSE
Cogiter : PENSER
Coiffure liturgique : MITRE
Coiffure que portent certaines sœurs :
     CORNETTE
Coiffure : TIARE, TOQUE
Coléoptère des chênes : LUCANE
Coléoptère longicorne qui vit sur les fleurs :
     LEPTURE
Coléoptère : INSECTE
Colère des poètes, littéraire : IRE
Colline de sable édifiée par le vent sur les
     littoraux : DUNE

Coloration : PIGMENTATION
Colorer des couleurs de l'arc-en-ciel :
    IRISER
Coloris du visage : TEINT
Combat singulier : DUEL, JOUTE
Combiner : RÉUNIR
Combler de louanges : ADULER
Comité international olympique : CIO
Commande le départ du coup d'une arme à
    feu : GÂCHETTE
Commandement : ORDRE
Comme le caviar : CHER
Comme les faces d'un dé : SIX
Comme une chose promise : DUE
Commence par un événement important :
    ÈRE
Commence par un réveillon : AN, ANNÉE,
    NOËL
Commencer à exister : NAÎTRE
Commencer à se développer : GERMER
Commerce : NÉGOCE
Commun : USÉ
Commune de Belgique : ASSE
Communiquer : INOCULER
Compétition sportive : OPEN, TOURNOI
Complet : ENTIER
Comportement d'un enfant tranquille :
    SAGESSE
Compositeur de jazz : ORNETTE
    COLEMAN

Compositeur et chef d'orchestre autrichien :
GUSTAV MAHLER

Compositeur français né en 1908 :
MESSIAEN

Compositeur français : GILBERT AMY

Compositeur italien né en 1925 : LUCIANO
BERIO

Composition musicale : DUO, OCTUOR,
SOLO, SONATE

Comprendre : CONSISTER, DÉCODER,
ENTENDRE, PIGER

Comprimer : TASSER

Compulser : LIRE

Concentration croissante de la population
dans les villes : URBANISATION

Concentré de certaines substances
aromatiques : ESSENCE

Concevoir : CRÉER, IMAGINER,
COMPRENDRE

Concret : RÉEL

Condiment : CÂPRE, MOUTARDE

Conducteur de la chaleur : OR

Conduire : AMENER, MENER

Confiance en quelqu'un : FOI

Confiance : ESPÉRANCE

Confidentiel : SECRET

Confier : REMETTRE

Confiserie molle : GUIMAUVE

Conflit intérieur : DÉBAT

Conforme à une doctrine considérée comme seule vraie : ORTHODOXE

Congénital : INNÉ

Conifère : ARAUCARIA, CÈDRE, ÉPICÉA, GINKGO, IF, MÉLÈZE, PIN, SAPIN, SÉQUOIA, THUYA

Conjonction ou opposition de la Lune avec le Soleil : SYZYGIE

Conjonction : AINSI, AUSSI, AVEC, BIEN, CAR, CEPENDANT, COMBIEN, COMME, COMMENT, DONC, ENCORE, ENFIN, ENSUITE, ET, LORSQUE, MAIS, NÉANMOINS, NI, OR, OU, PARTANT, POURQUOI, POURTANT, PUIS, PUISQUE, QUAND, QUE, QUOIQUE, SI, SINON, SOIT, TANTÔT, TOUTEFOIS

Conjugaison : ER, IR, OIR, RE

Connaître : SAVOIR

Connue des avocat : LOI

Connue pour son foie gras : OIE

Conseiller : MENTOR

Considérable : COLOSSAL, GROS

Considérer à part : ISOLER

Considérer : VOIR

Consolider : CIMENTER

Consomme de l'alcool avec excès : BOIT-SANS-SOIF

Conspuer : HUER

Constituer : ÊTRE, FORMER
Construction : ÉRECTION
Construire : BÂTIR, ÉDIFIER
Consulter : LIRE, VOIR
Contenant : SAC
Contenu : ASSIETTÉE, CUILLÉRÉE, TASSE,
    LITRE, PELLETÉE
Contester : NIER
Contient de l'argent : TIROIR-CAISSE
Contient du duvet : ÉDREDON
Continuer de séjourner dans un lieu :
    RESTER
Contraction des muscles : SPASME
Contrainte qu'impose la loi : OBLIGATION
Contraire d'un mauvais coup : B.A.
Contraire du bien : MAL
Contraire du mal : BIEN
Contrarier : ASTICOTER, EMBÊTER
Contribution à une dépense commune :
    ÉCOT
Contribution en argent : OBOLE
Contrôle : TEST
Contrôler en vol : ARRAISONNER
Contusionner : MEURTRIR
Convoiter : ENVIER
Convoquer : APPELER, CITER
Copulatif : ET
Cordage plat : TRESSE
Cordon : LIEN

Corps céleste : ASTRE

Corps simple d'un blanc bleuâtre, lamelleux et fragile : TELLURE

Costume féminin : SARI

Couguar : PUMA

Coule à Vichy : ALLIER

Coule au Zaïre : UÉLÉ, OUELLÉ

Coule aux États-Unis : MISSISSIPPI

Coule en Afrique : NIL, OUELLÉ, UÉLÉ

Coule en Asie : ILI

Coule en Égypte : NIL

Coule en Italie : ASTI

Coule en Roumanie : OLT

Coule sur le visage : LARME

Couler volontairement un navire : SABORDER

Couleur locale : US

Couleur : BAI, BEIGE, BLEU, BOURGOGNE, BRUN, GRIS, JAUNE, MARINE, MAUVE, NOISETTE, OCRE, ORANGE, ROUGE, ROUX, VERT, VIOLET (et tant d'autres...)

Coup de poing : CROCHET, DIRECT

Coup sportif : LOB, SMASH

Coup : HEURT, RA

Coupant : ACÉRÉ

Couper les branches inutiles d'un arbre : ÉLAGUER

Couper un tissu : TAILLER

Couper : ÔTER, SCIER

Coups de baguette : RA

Courage : ARDEUR

Courant : USUEL

Courroucer : IRRITER

Courroux : IRE

Cours d'eau des régions sèches : OUED

Cours d'eau : FLEUVE, RIVIÈRE, RU,
RUISSEAU

Course folle : RUÉE

Course précipitée : GALOPADE

Course : RELAIS

Court et assez corpulent : ROND

Court : RAS

Coutumes : US

Couvercle de cire qui obture les cellules des
abeilles : OPERCULE

Couvert d'écume : SPUMEUX

Couvert de flocons : NEIGEUX

Couverture de cire qui obture les cellules des
abeilles : OPERCULE

Crabe : ÉTRILLE

Crainte d'être atteint de la syphilis ou de la
contracter : SYPHILOPHOBIE

Crédule : NAÏF

Crédulité : NAÏVETÉ

Créer une œuvre d'art à trois dimensions :
SCULPTER

Crème à base de lait : FLAN

Crêpe vietnamienne : NEM
Crétin : NUL
Creusée par des roues : ORNIÈRE
Cri sourd d'un homme qui frappe avec effort:
     HAN
Cri : CLAMEUR, DIA, EXCLAMATION,
     HUÉE, HURLEMENT, OVATION,
     PLAINTE, TOLLÉ, VOCIFÉRATION
Cribler : LARDER
Crier : BÊLER, GÉMIR, GROGNER,
     HURLER, RAIRE, RÉER, VOCIFÉRER
Crin : POIL
Critique acerbe : FLÈCHE
Critique italien : UMBERTO ECO
Critiquer avec violence : ÉREINTER
Croassement : CRI
Crochet : ESSE
Croix de Saint-Antoine : TAU
Croûte légère : PEAU
Croûte noirâtre qui se forme sur une plaie :
     ESCARRE
Cruauté : ATROCITÉ, BARBARIE,
     HOSTILITÉ, MÉCHANCETÉ,
     RUDESSE, SADISME, SAUVAGERIE
Cruel : ATROCE, BARBARE, DUR, FÉROCE,
     IMPITOYABLE, INHUMAIN,
     IMPLACABLE, INSUPPORTABLE,
     INTOLÉRANT, MÉCHANT, PÉNIBLE,
     SADIQUE, SANGUINAIRE, SAUVAGE

Crustacé : ANATIFE, BALANE, CLOPORTE, CRABE, CREVETTE, ÉCREVISSE, HOMARD, LANGOUSTE, LANGOUSTINE, PAGURE, TALITRE
Cube : DÉ
Cubitus : OS
Cuir : PEAU
Cuire dans l'huile : FRIRE
Cuivre : CU
Cul-de-sac : RUE
Cultivé : LETTRÉ
Curie : CI
Cynique : ÉHONTÉ

D

D'... et déjà : ORES
D'accord : OUI
D'un ancien groupe de peuples : CELTE
D'un teint pâle et sans éclat : BLAFARD
D'une façon aimable : GENTIMENT
D'une façon rigoureuse : STRICTEMENT
D'une gentillesse pleine de bienveillance : BON ENFANT
D'une locution qui signifie volontairement : GRÉ
D'une locution signifiant directement : GO

D'une locution signifiant s'élever avec
indignation contre : HARO

D'une locution signifie rendre vivement la
pareille : TAC

D'une manière brutale : NET

D'une seule couleur : UNI

Danger : MENACE, PÉRIL, RISQUE

Dans ce pays : ICI

Dans certaines sauces : AIL

Dans l'alphabet grec : (Voir Lettre grecque)

Dans l'Antiquité, symbole de paix et de
gloire : OLIVIER

Dans l'île de Ré : ARS

Dans l'oreille : OSSELET, TROMPE
D'EUSTACHE, TYMPAN

Dans l'os : MOELLE

Dans la choucroute : SEL

Dans la cigarette : NICOTINE

Dans la famille des mouettes : STERNE

Dans la gamme : DO (UT), RÉ, MI, FA,
SOL, LA, SI

Dans la majorité des recettes : SEL

Dans la Mayenne : ERNÉE

Dans la rose des vents : (Voir Aire de vent)

Dans le calendrier romain : IDES

Dans le calendrier : AOÛT, AVRIL,
DÉCEMBRE, DIMANCHE, FÉVRIER,
JANVIER, JEUDI, JOUR, JUILLET,
JUIN, LUNDI, MAI, MARDI, MARS,

MERCREDI, MOIS, NOVEMBRE,
OCTOBRE, SAMEDI, SEMAINE,
SEPTEMBRE, VENDREDI

Dans le grand Nord : TOUNDRA

Dans le plasma humain : URÉE

Dans le râtelier : ERS

Dans le temps présent : ICI

Dans le vent : IN

Dans plusieurs noms de rue : ST, STE

Dans un ballon : AIR

Dans un titre universitaire : ÈS

Dans un trousseau : CLÉ

Dans une situation financière difficile :
GÊNÉ

Danse : CANCAN, CHARLESTON, FOX-
TROT, GIGUE, MENUET, POLKA,
QUADRILLE, RIGAUDON, RONDE,
RUMBA, SAMBA, SWING, TANGO,
TWIST, VALSE

De bonne heure : TÔT

De cette façon : AINSI

De courte durée : BREF

De façon exécrable : ODIEUSEMENT

De façon pas très indulgente :
SÉVÈREMENT

De Gaulle y installa son gouvernement
provisoire : LONDRES

De la bouche : ORAL

De la campagne : RURAL

De la couleur beige du textile non blanchi :
ÉCRU

De la haute montagne : ALPIN

De la nature de la coquille : TESTACÉ

De la nature du sable : ARÉNACÉ

De la partie septentrionale de la
Mésopotamie : ASSYRIEN

De là : EN

De même : ID, IDEM

De naissance : NÉ, NÉE

De plus : ITEM

De quoi faire des lingots : OR

De très près : RAS

De vive voix : ORAL

Déborder : EMPIÉTER, SAILLIR

Debout : LEVÉ

Débris de verre : TESSON

Débrouillard : DÉLURÉ

Début d'appel : ALLÔ

Début de calcul : UN

Début : INAUGURATION

Décapiter : ÉCIMER, ÉTÊTER

Décédé : MORT

Déceler d'après des signes :
DIAGNOSTIQUER

Décharge : TIR

Déchiffrer de nouveau : RELIRE

Déchiffrer : LIRE

Déchirure superficielle : ÉRAILLURE

Décilitre : DL

Décimètre : DM

Décision écoutée : ORACLE

Déclamer : RÉCITER

Décoder : DÉCHIFFRER

Décomposer en éclatant avec une légère crépitation (se) : FUSER

Décomposer : ÉPELER

Décorer : ORNER, PARER

Découler : ÉMANER

Découper le bord de quelque chose : DENTELER

Décrocher : AVOIR

Déduire : ÔTER

Déesse égyptienne : ISIS

Déesse : MINERVE, VÉNUS

Défalquer : ÔTER

Défaut de faire un versement : NON-PAIEMENT

Défaut grave : TARE

Défaut : IMPERFECTION

Défendre un accusé devant une juridiction : PLAIDER

Défense contre les aéronefs : DCA

Défi : GAGEURE

Dégager d'un corps (se) : ÉMANER

Dégourdi : DÉLURÉ

Dégoûtant : COCHON

Dégoûté : LAS

Dégradation d'un milieu naturel :
POLLUTION

Dégradation du relief : ÉROSION

Dégradé : VÉTUSTE

Dégrader (se) : EMPIRER

Déguerpir : DÉTALER

Délicatesse : TACT

Délit : CRIME, FAUTE, FORFAIT,
MANQUEMENT, RECEL

Délivrer d'un mal : GUÉRIR

Délivrer un pays de l'occupation étrangère :
LIBÉRER

Demande de la précision : TIR

Demander avec déférence : PRIER,
SOLLICITER

Demander la charité : MENDIER

Démêler des fibres textiles : CARDER

Démentir : NIER

Démesuré : ÉNORME

Demeurer : RÉSIDER, RESTER

Demi-masque : LOUP

Démolir : RASER

Démon marin : SIRÈNE

Démonstratif : ÇA, CE, CECI, CELA, CELLE,
CELLES, CELUI, CES, CET, CETTE,
CEUX, CI, LÀ

Dénoncer : LIVRER, TRAHIR

Dent : CANINE, INCISIVE, MOLAIRE,
PRÉMOLAIRE

Dent-de-lion : PISSENLIT

Dénudé : NU

Déplacer quelqu'un ou quelque chose :
    TRANSFÉRER

Déplaire : REBUTER

Déploiement : ÉTALAGE

Déposer un enjeu : MISER

Dépôt que laisse une eau chargée de sels
    calcaires : INCRUSTATION

Dépouiller : DÉGARNIR, VOLER

Dépourvu de force : PLAT

Dépression allongée : VALLÉE

Dérision : IRONIE

Dérivatif : EXUTOIRE

Dernier : ULTIME

Des animaux y vivent : ÉCURIE

Des dessins et du texte : BD, BANDE
    DESSINÉE

Des officiers y mangent : MESS

Des Pays-Bas : NÉERLANDAIS

Des petits y mangent avec leur mère : PRÉ

Des religieux y habitent : MONASTÈRE

Désavantager : LÉSER

Désavouer : NIER

Désert : REG

Déshydraté : SEC

Désigne une ou plusieurs personnes : ON

Désigner : ÉLIRE

Désillusionner : DÉSENCHANTER

Désinfecter : ASEPTISER
Désœuvré : OISIF
Désœuvrement : OISIVETÉ
Désoler : ATTRISTER, LAMENTER, PEINER
Dessert : FRUIT, GÂTEAU, PÂTISSERIE
Dessin présentant des sinuosités : ONDE
Dessinateur et humoriste français : EFFEL
Destination touristique : ÎLE, PLAGE, SUD
Destructeur : RAVAGEUR
Détacher les grains d'une grappe :
       ÉGRAINER, ÉGRAPPER, ÉGRENER
Détendre après une période d'anxiété (se) :
       DÉCOMPRESSER
Détendu : SEREIN
Déterminer l'importance : ÉVALUER
Détourner de son cours : DÉRIVER
Détourner : ÉCARTER
Détroit entre deux îles : PERTUIS
Détruire : RASER
Deux : II
Deuxième personne : TE, TU
Devant certains spectateurs : ÉCRAN
Devenir aigre : SURIR
Dévêtu : NU
Dévoilé : NU
Dévoiler : RÉVÉLER
Dévorer : LIRE, MANGER
Dévot : PIEUX
Dextérité : HABILETÉ

Dialecte de la langue grecque : IONIEN
Diaphragme : IRIS
Dieu de la guerre, à Rome : MARS
Dieu gaulois : ESUS
Dieu grec : ÉOLE
Dieu guerrier scandinave : THOR
Dieu imposant : RÂ, RÊ
Dieu merci! : HEUREUSEMENT
Dieu protecteur du foyer domestique :
    LARES
Dieu solaire : RÂ, RÊ
Dieux guerriers : ASES
Différence entre la plus grande et la plus
    petite valeur d'une distribution
    statistique : AMPLITUDE
Différent : AUTRE
Difficile à croire : RAIDE
Difficile à détruire : TENACE
Difficile à trouver : RARE
Difficile : ARDU
Difficulté à laquelle on est confronté :
    PROBLÈME
Difficulté à respirer : ASTHME
Difficulté d'apprentissage de la lecture :
    DYSLEXIE
Diminuer la surface d'une voile : ARISER,
    ARRISER
Diminution marquée du sens gustatif :
    AGUEUSIE

Diplôme universitaire : LICENCE
Dire à haute voix : ORALISER
Dire qu'une chose n'est pas vraie : NIER
Dire qu'une chose n'existe pas : NIER
Dire : PRONONCER
Direction de l'axe d'un navire : CAP
Direction : (Voir Aire de vent)
Diriger devant soi : POUSSER
Disciple d'Épictète : ARRIEN
Disciples (les) : DOUZE
Discipline spirituelle et corporelle : YOGA
Discuter en vue d'une entente : NÉGOCIER
Disposer en réseau : TISSER
Disposer harmonieusement : ARRANGER
Disposition à autoriser sans condition :
     PERMISSIVITÉ
Dissimuler : CELER, TAIRE
Distinct : NET
Distinctement : NETTEMENT
Distraire en portant à l'inattention et à
     l'indiscipline : AMUSER, DISSIPER
Distrait : AMUSÉ
Divertir : AMUSER
Divinité de l'amour : ÉROS
Divinité grecque primitive : TITAN
Division d'un ouvrage : CHAPITRE, TOME
Division d'un siècle : AN, ANNÉE,
     DÉCENNIE
Division d'un yen : SEN

Division d'une olympiade : AN, ANNÉE
Division d'une partie : SET
Division dans un parti : SCHISME
Division dans une assemblée : SCISSION
Division de l'histoire : ÈRE
Division du compas : ENE, ESE, EST, NE,
NNE, NNO, NO, NORD, ONO, OSO,
OUEST, SE, SO, SSE, SSO, SUD
Division du temps : AN, ANNÉE, ÈRE,
HEURE, JOUR, JOURNÉE, MINUTE,
MOIS, SECONDE
Dix siècles : MILLÉNAIRE
Do : UT
Docteur : DR
Document établissant un droit : TITRE
Doit être remboursé : PRÊT
Domaine rural : TERRE
Domestique : SERVITEUR
Domestiquer : APPRIVOISER
Domination : SUPRÉMATIE
Dominer : ASSERVIR
Donna du lait : IO
Donne à la viande un arôme particulier :
MARINADE
Donne du jus : CAROTTE, ORANGE,
POMME, RAISIN, TOMATE
Donner d'une boisson : SERVIR
Donner de l'air : AÉRER
Donner de l'éclat à : AVIVER

Donner de la bande, en parlant d'un bateau :
   GÎTER
Donner en cadeau : OFFRIR
Donner en échange : RENDRE
Donner les couleurs du spectre : IRISER
Donner plusieurs couleurs à : IRISER
Donner un plat à : SERVIR
Dont l'air est renouvelé : AÉRÉ
Dont l'effet tarde à se manifester : LENT
Dont la surface est unie : RAS
Dont le squelette est saillant : OSSEUX
Dont on a été informé : SU
Dont on n'a rien retranché : ENTIER,
   INTACT
Dont on se sert fréquemment : USUEL,
   USITÉ
Dose de radiations : REM
Double coup : FLA
Double règle : TÉ
Doubler un vêtement : OUATER
Doucement, en musique : PIANO
Douceur : GÂTERIE
Douleur : OTALGIE
Doute : HÉSITATION, SOUPÇON
Douze mois : AN, ANNÉE
Draine la Sibérie occidentale : OB

Draps, couvertures : LITERIE
Dresser : LEVER

Drogue : CANNABIS, COCAÏNE,
    HASCHISCH, LSD, MARIHUANA,
    MARIJUANA, POT
Droit qu'une personne a d'exiger quelque
    chose de quelqu'un : CRÉANCE
Dru : TOUFFU
Du lundi au dimanche : SEMAINE
Du Pacifique à l'Atlantique : CANADA,
    ÉTATS-UNIS, USA
Duper : ROULER
Dur : SOLIDE
Dur, tranchant et pointu : ACÉRÉ
Dure douze mois : AN, ANNÉE
Durillon : COR
Duvet : ÉDREDON
Dynastie chinoise : TANG

E

Eau-de-vie de pommes : CALVADOS
Eau-de-vie : ARMAGNAC, GIN, GNÔLE,
    KIRSCH, RHUM, VODKA, WHISKY
Ébranler : ÉMOUVOIR, TOUCHER
Ébriété : IVRESSE
Écarteur chirurgical : ÉRIGNE, ÉRINE
Échange direct d'un objet contre un autre :
    TROC

Échappatoire : ISSUE
Échelonner : ÉTALER
Échouer : RATER
Éclairage : NÉON
Éclaircir : DÉMÊLER
Éclairer : ALLUMER
Éclat de voix : CRI
Éclat : PÉTILLEMENT
Éclater : PÉTER
Écloper : ESTROPIER
École bouddhiste : ZEN
École d'administration : ÉNA
Écorce de chêne : TAN
Écorce de la tige du chanvre : TEILLE, TILLE
Écourter la liste : ETC.
Écraser : APLATIR
Écrire : NOTER
Écrit contestant une situation juridique :
      ACTE
Écrivain et philosophe allemand : MOSES
      HESS
Écrivain français : ARAGON, ALBERT
      CAMUS, ANDRÉ GIDE, JEAN
      GIONO, VICTOR HUGO, ALFRED
      JARRY, GUY DE MAUPASSANT,
      JACQUES PRÉVERT, ANTOINE DE
      SAINT-EXUPÉRY, JEAN-PAUL
      SARTRE, ÉMILE ZOLA (et combien
      d'autres!)

Écrivain italien : UMBERTO ECO
Écrivain qui aime railler : IRONISTE
Écrivain suisse : HERMANN HESSE
Écrivait des fables : ÉSOPE
Écueil sur lequel la houle déferle : BRISANT
Éculé : DÉFORMÉ, DÉFRAÎCHI, USÉ
Écume : MOUSSE
Effacer : ÔTER
Effectif : RÉEL
Effervescence : ÉMOI
Effleurer agréablement : CARESSER
Effronté : DÉLURÉ
Égale 100 rems : SIEVERT
Égaliser : NIVELER
Égoïne : SCIE
Élaborer : NOUER
Élan : CERF
Élan : ESSOR
Élargir l'orifice de : ÉVASER
Électronvolt : EV
Élément artificiel et radioactif : ASTATE
Élément d'un harnais : MUSEROLLE
Élément d'un os : ILION
Élément de la langue : MOT
Élévation du niveau d'un cours d'eau :
    CRUE
Élever : HISSER
Élimer : USER
Élisabeth : REINE

Elle a connu l'Éden : ÈVE
Elle a des dents : SCIE
Elle a été votée : LOI
Elle a un fan-club : STAR
Elle a un ou plusieurs enfants : MAMAN
Elle aime beaucoup le poisson : LOUTRE
Elle éclaire : LUMIÈRE
Elle écrit vite : STÉNO
Elle est blanche et dure : DENT
Elle est connue : STAR
Elle est déposée par la fumée : SUIE
Elle est divisée en 60 parties égales :
      HEURE, MINUTE
Elle est en soie : OBI
Elle est évacuée par la miction : URINE
Elle est fétide : ASE
Elle est parfois houleuse : MER
Elle est passée dans les mœurs : COUTUME
Elle est souvent bordée d'arbres : ALLÉE
Elle est tracée par des roues : ORNIÈRE
Elle était mineure : ASIE
Elle fait souvent la une : STAR, VEDETTE
Elle joue : ACTRICE
Elle lave : LINGÈRE
Elle n'est pas toujours calme : MER
Elle ne tient plus qu'à un fil parfois : VIE
Elle peut être entrouverte : PORTE
Elle peut geler : EAU
Elle peut tourner : ROUE

Elle pue : ASE
Elle se déplace lentement : TORTUE
Elle tombe et nous fait courir : ONDÉE,
PLUIE
Elle tourne autour de nous : LUNE
Elle tourne : ROUE
Elliptique : OVALE
Éloigner de toute activité : ISOLER
Éloigner : ÉCARTER
Éluder : ÉVITER
Emballer : RAVIR
Embarcation reposant sur des flotteurs :
PÉDALO
Embellir : ORNER
Embêtement : ENNUI
Embêter : CONTRARIER, ENNUYER
Emblème de fécondité : OLIVIER
Embrigader : ENRÉGIMENTER
Émérite : CHEVRONNÉ
Émettre des signaux sonores, en parlant d'un
grillon : STRIDULER
Éminence à la surface de la langue :
PAPILLE
Éminence : EM
Emmener de force : TRAÎNER
Émotion d'ordre affectif : ÉMOI
Émotionner : ÉMOUVOIR
Émousser : USER
Émouvoir : TOUCHER, VIBRER

Empester : PUER
Empêtrer (s') dans une affaire difficile :
       EMBOURBER
Empire : INCA
Employé des chemins de fer : CHEMINOT
Employer : UTILISER
Emprisonner : ENFERMER
Emprunter : IMITER
En costume d'Adam ou d'Ève : NU, NUE
En couleurs depuis plusieurs années : TÉLÉ
En désordre : INCULTE
En état d'ébriété : IVRE
En état d'être récolté : MÛR
En état de : PRÊT
En face de La Palice : RÉ
En forme d'œuf : OVOÏDE
En forme de soie de porc : SÉTACÉ
En grand nombre : RÉGIMENT
En les : ES
En matière de : ES
En outre : ITEM
En qui l'on peut avoir confiance : SÛR
En qui on ne peut avoir confiance :
       DÉLOYAL
En retard sur son époque : ARRIÉRÉ
En ville : EV
En vogue : IN
Encaisser : RECEVOIR
Encaustiquer : CIRER

Enceinte où l'on enferme les taureaux :
   TORIL
Enchaînement inéluctable de faits dont on
   ne peut se dégager : ENGRENAGE
Enchanter : RAVIR
Enchâsser : SERTIR
Encouragement : INCITATION, OLÉ, OLLÉ
Encourager : STIMULER
Endommager : ABÎMER, LÉSER
Endroit sec : REG
Endroit très encombré et en désordre :
   CAPHARNAÜM
Enduire d'une préparation colorée :
   ENCRER
Enduire : BADIGEONNER
Enduit imitant le marbre : STUC
Enduit très résistant : LUT
Enfantillage : GAMINERIE
Enfantin : PUÉRIL
Engagement religieux : VŒU
Engager quelqu'un dans une certaine voie :
   ORIENTER
Engendrer : CRÉER
Engrais azoté : URÉE
Engrais industriel : URÉE
Enguirlander : INVECTIVER
Enivrer légèrement : GRISER
Enjoué : GAI, RIEUR
Enlever de force : RAVIR

Enlever des cailloux : ÉPIERRER
Enlever des poils : ÉPILER
Enlever l'eau de : ESSORER
Enlever les saillies de : ÉBARBER
Enlever : ÔTER
Ennui qui retarde : ANICROCHE
Ennuyeux : EMPOISONNANT, RASOIR
Énoncer à voix haute : LIRE
Enregistrer les résultats d'une épreuve
        sportive : POINTER
Enrouler sur soi-même : LOVER
Ensemble d'expressions du visage :
        MIMIQUE
Ensemble d'instruments jouant des sons de
        même hauteur : UNISSON
Ensemble de deux éléments : PAIRE
Ensemble de napperons : SET
Ensemble de préceptes qui font loi dans un
        domaine : CODE
Ensemble de règles : RITE, RITUEL
Ensemble des événements récents :
        ACTUALITÉ
Ensemble des forces militaires d'un pays :
        ARMÉE
Ensemble des richesses qui appartiennent à
        une personne : FORTUNE
Ensemble embrouillé et confus : DÉDALE
Entailler de crans : CRÉNELER
Entassement : AMAS

Enter : ASSEMBLER

Entièrement clos : FERMÉ

Entourer de soins attentifs : BICHONNER,
  DORLOTER

Entourer étroitement : ENCERCLER

Entrain collectif : ANIMATION

Entre dans le nez : AIR

Entre dans les naseaux : AIR

Entre deux mots : ET

Entre deux propositions : ET

Entre docteur et sciences : ES

Entre la Grèce et la Turquie : ÉGÉE

Entre les deux portes d'une écluse : SAS

Entre un côté du lit et le mur : RUELLE

Entre une licence et des lettres : ES

Entre Vénus et Mars : TERRE

Entrelacer : ENTRECROISER

Entreprise très puissante : TRUST

Entreprise : AFFAIRE, AVENTURE,
  CARTEL, COMMERCE, DESSEIN,
  ÉTABLISSEMENT, EXPLOITATION,
  ŒUVRE, PROJET, TRAVAIL

Entretien de la coque d'un navire :
  RADOUB

Enveloppe coriace : ÉCALE

Enveloppe de certains fruits : ÉCORCE

Enveloppe du ver à soie : COCON

Enveloppe : TAIE

Envie de vomir : NAUSÉE

Envoya 875 000 Français travailler en
Allemagne : SERVICE DU TRAVAIL
OBLIGATOIRE, STO
Envoyer ad patres : TUER
Enzyme : ASE
Épais : DRU
Épaissir : LIER
Épargne excessive : LÉSINE
Épargner de façon excessive : LÉSINER
Épaulard : ORQUE
Épeler : DÉCOMPOSER
Épicer : RELEVER
Éplucher : LIRE
Épointer : USER
Époque : ÈRE
Épouse d'Athamas : INO
Époustoufler : ÉTONNER
Époux dont on est divorcé : EX
Époux : MARI
Épreuve : TEST
Éprouver de la tendresse : AIMER
Épuiser : TARIR, USER
Équerre : TÉ
Équivalence : VALEUR
Erbium : ER
Éreintant : ÉPUISANT
Ergot du chien : ÉPERON
Erreur : BÉVUE, GAFFE
Ersatz : SUCCÉDANÉ

Éructation : ROT
Érudit : SAVANT
Escamoter : ÉVITER
Escarpement rocheux : CRÊT
Escompter : ESPÉRER
Espace de temps : AN, ANNÉE, ÈRE,
    HEURE, JOUR, MINUTE, MOIS,
    SECONDE
Espace qui ne contient rien : VIDE
Espèce : GENRE, RACE, TYPE
Esquiver : ÉVITER
Essaim : NUÉE
Essayer : TENTER
Est cultivé dans un sol submergé : RIZ
Est grand ouvert : BÉE
Estimer davantage : PRÉFÉRER
Estuaire breton : ABER, RIA
Étable à porcs : SOUE
Établir un lien d'amitié entre : UNIR
Établissement de soins privé : CLINIQUE
Établissement scolaire : ÉCOLE
Étain : SN
Était dirigée par Staline : URSS
État affectif pénible : TRISTESSE
État d'Asie dont l'indépendance a été
    proclamée en 1943 : LIBAN
État d'un fruit prêt à être mangé :
    MATURITÉ
État d'une personne qui dispose de
    beaucoup de loisirs : OISIVETÉ

État de ce qui est chargé d'eau : HUMIDITÉ
État de grande tension : STRESS
État de l'Europe occidentale : EIRE
État de la République fédérale d'Allemagne : HESSE
État de mécontentement d'ordre politique ou social : AGITATION
État de quelqu'un qui vit en solitaire : RÉCLUSION
État des animaux : RUT
État européen sur la Baltique : EESTI
État habituel conforme à la règle établie : NORME
État harmonieux : UNITÉ
État morbide : COMA
Étendue d'eau : MARE
Étendue très aride, désertique : ERG
Étoffe croisée de laine : ESCOT
Étoffe d'ameublement : REPS
Étoffe d'une seule couleur : UNI
Étoffe : SATIN
Étoile : ASTRE
Étonnant : INOUÏ
Étourdie : AHURIE
Être à l'affût : ÉPIER
Être abîmé par les teignes : MITER
Être agité d'un tremblement : FRÉMIR
Être en eau : SUER, TRANSPIRER
Être en eau, en nage : SUER, TRANSPIRER

Être englouti dans l'eau : SOMBRER
Être fabuleux : FÉE, GÉANT, LUTIN
Être humain pourvu de dons exceptionnels :
	SURHOMME
Être le premier à subir un inconvénient :
	ÉTRENNER
Être lent à faire quelque chose : TARDER
Être passible de châtiment : MÉRITER
Être près de ses sous : LÉSINER
Être présent : ASSISTER
Être suprême : DIEU
Étreindre : SERRER
Étudiant en médecine : INTERNE
Étudiant : ÉLÈVE
Étudier à fond : APPROFONDIR
Étui de métal : DÉ
Eu égard à : VU
Européen : ALBANAIS, ALLEMAND,
	ANGLAIS, AUTRICHIEN, BELGE,
	BIÉLORUSSE, BULGARE, CORSE,
	DANOIS, ESPAGNOL, FINLANDAIS,
	FRANÇAIS, GREC, HOLLANDAIS,
	HONGROIS, ISLANDAIS, ITALIEN,
	LETTON, LITUANIEN, MOLDAVE,
	MONÉGASQUE, NÉERLANDAIS,
	NORVÉGIEN, POLONAIS,
	PORTUGAIS, ROUMAIN, RUSSE,
	SLOVAQUE, SUÉDOIS, SUISSE,
	TCHÈQUE

Euterpe est celle de la musique : MUSE
Évaluer le volume d'une quantité de bois :
    STÉRER
Évaluer : ESTIMER
Évêque de Lyon : IRÉNÉE
Évincer : ÉCARTER
Éviter avec adresse : ÉLUDER
Éviter : ESQUIVER
Évocation des morts pour connaître l'avenir :
    NÉCROMANCIE
Évoque une sensibilité : ISO
Exagérer : ABUSER
Examiner attentivement : ÉPLUCHER
Examiner rapidement : PARCOURIR
Examiner : VOIR
Excédent : RESTE
Exceptionnel : RARE
Excès de poids, de graisse : OBÉSITÉ
Excès : EXAGÉRATION
Excitant : CAFÉINE, NICOTINE
Exclamation : NA
Excrément : BOUSE, ÉTRON, FIENTE
Exécuter avec succès : RÉUSSIR
Exécution : RÉALISATION
Exercer ses talents de poète : ÉCRIRE
Exercer un métier : TRAVAILLER
Exister : ÊTRE
Expérimenté : MÛRI
Expiré : ÉCHU

Explique les signes et symboles utilisés dans un livre : LIMINAIRE

Explorer avec la main : TÂTER

Exposé universitaire : THÈSE

Exposer à feu vif : SAISIR

Exposer à l'air : AÉRER

Exposer dans le détail : NARRER

Exposer pour la vente : ÉTALER

Expression de la voix : TON

Exprime l'indifférence : BAH

Exprime l'ordre de cesser toute manœuvre : STOP

Exprime le doute : HEM

Exprime le regret : HÉ

Exprime le rire : HI

Exprime le soulagement : OUF

Exprimé sans ménagement : CRU

Exprimer de manière précise : SPÉCIFIER

Exprimer en termes violents : CLAMER

Exprimer : DIRE

Expulser brusquement de l'air par le nez et la bouche : ÉTERNUER

Extraordinaire : INOUÏ

Extrêmement heureux : ENCHANTÉ

Extrémité d'une pièce de bois : ABOUT

Extrémité pointue : CIME

F

Fabrique : USINE
Fabriquer industriellement : USINER
Face inférieure du pied : PLANTE
Facile à suivre, à semer : LENT
Facile : AISÉ
Facilement irritable : NERVEUX
Façon de sortir : ÉVASION
Façonner : OUVRER
Faire adhérer à un parti : ENRÔLER
Faire avec audace : OSER
Faire cesser de brûler : ÉTEINDRE
Faire communiquer : RELIER
Faire confiance : ÉLIRE
Faire cuire à feu vif : RÔTIR
Faire de nombreuses allées et venues :
        TROTTER
Faire des meurtrissures à des fruits : TALER
Faire des mouvements avec les bras :
        GESTICULER
Faire des vers : RIMER
Faire disparaître : ÉLIMINER
Faire du bruit en reniflant, en parlant des
        animaux : RENÂCLER
Faire du crawl : NAGER
Faire du mal, du tort à : NUIRE
Faire entendre de petits crépitements :
        GRÉSILLER

Faire entendre des cris effrayants : HURLER

Faire entrer de l'air : AÉRER

Faire entrer quelque chose dans l'esprit de
      quelqu'un : INCULQUER

Faire la cour à : DRAGUER

Faire le brave : CRÂNER

Faire macérer une plante aromatique :
      INFUSER

Faire mourir : ÉGORGER, TUER

Faire partie d'un tribunal : SIÉGER

Faire périr en grand nombre : EXTERMINER

Faire prendre une dose excessive de
      médicaments à : DROGUER

Faire remarquer (se) : CABOTINER

Faire tort à : LÉSER

Faire tourner la tête : ÉTOURDIR

Faire traîner en longueur : ÉTERNISER

Faire un cauchemar : RÊVER

Faire un classement : TRIER

Faire un trou : PERCER

Fait d'être trompé dans son attente :
      DÉCEPTION

Fait d'exploser : ÉCLATEMENT

Fait de s'écarter de ce qui est normal :
      DÉRAPAGE

Fait de se moquer de soi-même :
      AUTODÉRISION

Fait de servir à quelque chose : UTILITÉ

Fait de sortir de son engourdissement :
      ÉVEIL

Fait de vive voix : ORAL

Fait de vivre ensemble sous le même toit :
COHABITATION

Fait depuis peu : NEUF, RÉCENT

Fait halluciner : (Voir Drogue)

Fait le pan : FANFARON

Fait lever la pâte : LEVURE

Fait mal à l'oreille : OTITE

Fait monter les prix : RARETÉ

Fait partie d'un rire : HI

Fait partie d'un tout : ÉLÉMENT

Fait partie de la famille des muridés :
CAMPAGNOL, GERBILLE,
HAMSTER, LEMMING, MULOT,
ONDATRA, RAT, SOURIS

Fait partie de la famille : COUSIN,
COUSINE, FRÈRE, GRAND-MÈRE,
GRAND-PÈRE, MÈRE, NEVEU,
NIÈCE, ONCLE, PÈRE, SŒUR, TANTE

Fait partie d'un cérémonial : RITE

Fait plaisir à la vedette : OVATION

Fait plusieurs fois : ITÉRATIF

Fait qui existe : RÉALITÉ

Fanfaron : PAN, VANTARD

Fatalité : MALÉDICTION

Fatigant : RASEUR

Fatigué de façon excessive : ÉPUISÉ

Fatigué et amaigri : TIRÉ

Fatigué : LAS

Faucon d'Italie du sud : LANIER

Faute survenue dans l'impression d'un
 ouvrage : ERRATA

Fauve : LION, TIGRE

Fébrile : NERVEUX

Feindre : SIMULER

Fêlé : FOU

Félin : CARACAL, CHAT, EYRA, GUÉPARD,
 JAGUAR, LÉOPARD, LION, LYNX,
 OCELOT, ONCE, PANTHÈRE, PUMA,
 TIGRE

Femelle du lièvre : HASE

Femelle du sanglier : LAIE

Femme d'Osiris : ISIS

Femme d'un certain âge : MÉMÉ

Femme d'un souverain : REINE, TSARINE

Femme de lettres américaine morte à Los
 Angeles : ANAÏS NIN

Femme un peu ridicule et prétentieuse :
 ROMBIÈRE

Fémur : OS

Fermer à la circulation : BARRER

Fermer avec un cordon : LACER

Fermer complètement, hermétiquement :
 SCELLER

Ferrure : TÉ

Fête vietnamienne : TÊT

Feuille de tabac constituant l'enveloppe d'un
 cigare : ROBE

Feuille : PAGE

Feuilleter : LIRE

Fibre synthétique à base de chlorure de
       vinyle : RHOVYL

Fibre textile synthétique : ORLON, RILSAN

Fibre textile : COTON, LIN

Fibrome : TUMEUR

Fidèle : ADEPTE

Fiel : AMER

Fiente de bœuf : BOUSE

Figure d'équilibre de la danse :
       ARABESQUE

Figure de style : ANTITHÈSE,
       COMPARAISON, CONCESSION,
       ÉNUMÉRATION, EUPHÉMISME,
       GRADATION, HYPERBOLE, LITOTE,
       PÉRIPHRASE, PROSOPOPÉE

Figure en forme de T : TAU

Filer : ÉPIER

Filet de pêche : TRAMAIL, TRÉMAIL

Filin frappé sur une ancre : ORIN

Fille d'Harmonia : INO, SÉMÉLÉ

Fille de Cadmos : INO

Fille du frère : NIÈCE

Fils d'Anchise : ÉNÉE

Fils d'Isaac : ÉSAÜ, JACOB

Fils d'Ulysse : TÉLÉMAQUE

Fils de l'oncle : COUSIN

Fils de Lamech : NOÉ

Fils de Noé : SEM, CHAM, JAPHET
Fils du frère : NEVEU
Fin de verbe : ER, IR, OIR, RE
Finaud : FUTÉ
Finir : TERMINER, USER
Fixer par des nœuds : AMARRER
Fixer : CALER, VISSER
Flamberge : ÉPÉE
Flan de la Bretagne : FAR
Flancher : CÉDER
Flaque : MARE
Flatter avec excès : ENCENSER
Fleur en forme d'étoile : ASTER
Fleur : CHRYSANTHÈME, IRIS, ŒILLET,
      ROSE, VIOLETTE
Fleur : CHRYSANTHÈME, LIS, LYS, ROSE,
      VIOLETTE (et combien d'autres!)
Fleurer : SENTIR
Fleuret : ÉPÉE
Fleuve côtier des Flandres française et belge :
      YSER
Fleuve côtier des Pyrénées-Orientales :
      TECH
Fleuve d'Europe orientale : DNIESTR,
      DNESTR
Fleuve d'Irlande : ERNE
Fleuve d'Italie : PÔ
Fleuve de la péninsule Ibérique : TAGE
Fleuve drainant le Vallespir : TECH

Fleuve né dans les Carpates : DNIESTR, DNESTR
Fleuve qui rejoint la mer du Nord : YSER
Folie des grandeurs : MÉGALOMANIE
Fonctionner au ralenti : VIVOTER
Fonctionner : ALLER
Fond d'une bouteille, de certains objets : CUL
Fonda la ville de Lavinium : ÉNÉE
Fondamental : ÉLÉMENTAIRE
Fondateur, parmi d'autres, du surréalisme : ARAGON
Fonder : CRÉER
Fonderie : USINE
Font une belle paire : AS
Force morale : ÉNERGIE
Forêt du Nord : TAÏGA
Formation de glace sur une surface : GIVRAGE
Formation végétale : STEPPE
Forme de gouvernement : ÉTAT
Forme des hauts fonctionnaires : ÉNA
Forme extérieure du corps humain : ANATOMIE
Forme géométrique : CARRÉ, CERCLE, RECTANGLE, TRAPÈZE, TRIANGLE
Formidable : ÉPATANT, INOUÏ
Formuler : ÉMETTRE, ÉNONCER
Forte, en certaines occasions : ÉMOTION

Fortement, en musique : FORTE
Fou : INSENSÉ
Fougère commune : CÉTÉRAC
Fourmi reproductrice : REINE
Fourmilier : TAMANOIR
Fournit un bois dur : TEK
Fournit une résine amère : ALOÈS
Fourrage : ERS
Fourreau de métal : DÉ
Francium : FR
Frangin : FRÈRE
Frapper d'épouvante : TERRORISER
Frapper : TAPER
Frère jumeau de Romulus : RÉMUS
Friandise : SUCRERIE
Frictionner : FROTTER
Froid : DISTANT
Froisser : FRIPER
Fromage corse : NIOLO
Fromage de Hollande : ÉDAM
Fromage : AUVERGNE, BLEU, BRIE,
        CHEDDAR, CHÈVRE, EMMENTHAL,
        GORGONZOLA, GOUDA, GRUYÈRE,
        PARMESAN, REBLOCHON,
        ROQUEFORT, STILTON
Frotter avec de l'huile : OINDRE
Fruit noir et suret : MERISE
Fruit : ABRICOT, API, BLEUET, CERISE,
        CITRON, COURGE, DATTE, FRAISE,

FRAMBOISE, LITCHI, ORANGE,
PÉCAN, POMME, PRUNE, RAISIN
Fruit : CONSÉQUENCE, EFFET, PRODUIT,
RÉSULTAT, REVENU
Fuite des populations : EXODE
Fumet : ODEUR
Funérailles : ENTERREMENT
Fureur : RAGE
Fusil : ARME
Fut aimée de César : CLÉOPÂTRE
Fut aimée de Zeus : IO
Fut changée en génisse : IO
Fut créée par Truman : CIA
Fut dirigée par Himmler : SS
Fut épousée par Héraclès : IOLE
Futé : RETORS

G

Gadolinium : GD
Gai : RIANT
Gaine : ÉTUI
Galetas : TAUDIS
Gallium : GA
Garantie : SÛRETÉ
Garantir : ASSURER, PROTÉGER
Garde du corps : GORILLE

Garder à la main : TENIR
Garder et cacher des objets volés : RECELER
Garder : TENIR
Gardien de prison : GEÔLIER
Gardien de troupeaux : GAUCHO
Garnement : VAURIEN
Garnir d'objets qui embellissent : PARER
Gâteau au fromage : RAMEQUIN
Gaz rare de l'atmosphère : NÉON
Gel : ARRÊT
Général américain : ROBERT EDWARD LEE
Général : UNANIME
Générer : ENGENDRER, PRODUIRE
Gêneur : CASSE-PIEDS
Génie de la mythologie scandinave : ELFE
Génie des eaux : ONDIN
Génie scandinave : ELFE
Géologue américain : HARRY HAMMOND
     HESS
Germandrée : IVE
Germanium : GE
Gitan : ROMANICHEL
Glande située devant la trachée de l'agneau :
     RIS
Glande : FOIE, HYPOPHYSE, OVAIRE,
     PANCRÉAS, TESTICULE, THYMUS
Glisse sur la neige : LUGE
Gloire : AURÉOLE
Glorifier : LOUANGER

Glossine : TSÉ-TSÉ

Glouglou : ONOMATOPÉE

Glousser : RIRE

Glouton : VORACE

Goût doucereux et persistant que prennent les vins doux naturels en vieillissant : RANCIO

Goût pour l'inaction : PARESSE

Goût : SAVEUR

Grade : GR

Grains de beauté : NAEVI

Graisse : LIPIDE

Grand lac : ÉRIÉ, HURON, MICHIGAN, ONTARIO, SUPÉRIEUR

Grand : LONG

Grande et mince : ÉLANCÉE

Grand-mère : MÉMÉ, MÉMÈRE

Grand-père : PÉPÉ, PÉPÈRE

Gratitude : GRÉ

Gratter : RÂPER

Greffer : ENTER

Grelotter : TREMBLER

Griffe des carnassiers : ONGLE

Grillé et très peu cuit : BLEU

Grincement aigu : COUINEMENT

Gris foncé : NOIRÂTRE

Grison : ÂNE

Grivois : CRU

Grogner : RÂLER

Grondement : TONNERRE
Grosseur du cou : GOITRE
Grotte : ANTRE
Groupe d'abeilles : ESSAIM
Groupe d'atomes : ION
Groupe de cinq personnes : QUINTETTE
Groupe de deux personnes : DUO
Groupe de quatre personnes : QUATUOR
Groupe de trois personnes : TRIO
Groupe de trois vers : STROPHE
Groupement religieux : SECTE
Guêpe : EUMÈNE
Guère : PEU
Guide les roues (ce qui) : RAIL

H

Habile : ADROIT, AVISÉ
Habileté à faire quelque chose : ART
Habille le pied et la jambe : BAS
Habiller : SAPER, VÊTIR
Habitant autour de Paris : ZONIER
Habitation de certains animaux : NID
Habitation des pays tropicaux : CASE
Habitation pour les abeilles : RUCHE
Habitation sombre et misérable : TANIÈRE,
     TAUDIS

Habitation : HUTTE, MAISON, NID
Habiter : RESTER, VIVRE
Habitude : ROUTINE, US
Hâbleur : VANTARD
Halte : ESCALE
Hameau nord-africain : MECHTA
Handicapé : PARAPLÉGIQUE
Hardi : OSÉ
Hardiesse imprudente : TÉMÉRITÉ
Harmonie d'ensemble d'une œuvre
    artistique : UNITÉ
Hasard : ALÉA
Hautbois alto : COR
Hectolitre : HL
Hégire : ÈRE
Helminthe : VER
Helvète : SUISSE
Héraclès l'épousa : IOLE
Herbe aquatique vivace : ISOÈTE
Héritage : LEGS
Héron blanc : AIGRETTE
Héros de bandes dessinées : ASTÉRIX,
    GASTON LAGAFFE, LUCKY LUKE,
    OBÉLIX, SCHTROUMPF, ACHILLE
    TALON, TINTIN
Héros de Virgile : ÉNÉE
Hésitant : INDÉCIS
Heurter violemment : EMBOUTIR
Hibou : DUC

Hirondelle de mer : STERNE

Hisser : ÉLEVER

Historien et philosophe grec : ARRIEN

Hommage à un Dieu : CULTE

Homme des neiges : YÉTI

Homme politique allemand : RUDOLF HESS

Homme politique français pacifiste : JAURÈS

Homme politique soviétique : STALINE

Homme politique syrien : ASSAD

Homme très fort : MALABAR

Homme : MEC

Honnête : DROIT

Hors d'ici! : OUSTE

Hostilité : HAINE

Houspiller : TARABUSTER

Hugo en a écrit plus d'une : ODE

Huiler : OINDRE

Huit : VIII

Huitième degré de l'échelle diatonique : OCTAVE

Humer : SENTIR

Hurler : CRIER

Hutte : CASE

Hydrocarbure éthylénique : OLÉFINE

Hypocrisie : DUPLICITÉ

Hypocrite : ARTIFICIEL, TARTUFE, TARTUFFE

Hypothèse : SI

I

Idée qui revient sans cesse : LEITMOTIV
Idem : ID
Ignoble : ODIEUX
Il a connu l'Éden : ADAM
Il a créé l'Armée rouge : LÉNINE
Il a des épines : ROSIER
Il a des racines crampons : LIERRE
Il a fait fortune pendant la prohibition : AL
    CAPONE
Il a installé Cléopâtre sur le trône d'Égypte :
    CÉSAR
Il a ouvert la caverne des 40 voleurs : ALI
    BABA
Il a un long bec au bout d'un long cou :
    HÉRON
Il a un ou plusieurs enfants : PAPA
Il a une anse : SEAU
Il a une longue queue : RAT
Il aime l'eau douce : IDE
Il combattait dans l'arène : GLADIATEUR
Il commanda le Sud : ROBERT EDWARD
    LEE
Il distribue des cadeaux aux enfants : PÈRE
    NOËL, SAINT-NICOLAS
Il dompta le taureau de l'île de Crète :
    HERCULE

Il en sort du lait : TÉTINE
Il enregistre les résultats d'une épreuve
    sportive : POINTEUR
Il est à environ 150 millions de kilomètres de
    nous : SOLEIL
Il est dans le secret : INITIÉ
Il est destiné à être fécondé : OVULE
Il est entouré d'eau : ÎLOT
Il est jaune brillant : OR
Il est le premier : JANVIER
Il est lent : AÏ, UNAU
Il est marqué de points : DÉ
Il est mort à Miami en 1947 : AL CAPONE
Il est mort en Virginie : ROBERT EDWARD
    LEE
Il est né à Tonnerre : ÉON
Il est opposé au zénith : NADIR
Il est originaire de Hollande : ÉDAM
Il est parfois houleux : OCÉAN
Il est peu profond : RU
Il est prolifique : LAPIN, RAT
Il est recherché : RIS
Il est rempli de duvet : ÉDREDON
Il est suspendu par une courroie : ÉTRIER
Il est très chaud : SOLEIL
Il est très fort : AS
Il est très regardant : RADIN
Il est vorace : OGRE
Il fabrique des articles de harnachement :
    SELLIER

Il fabrique des articles tressés :
PASSEMENTIER

Il faut le tendre : ARC

Il glisse : LUGEUR

Il joue le rôle d'un diaphragme : IRIS

Il mange beaucoup : OGRE

Il n'est pas toujours calme : OCÉAN

Il ne faut pas le croire : MENTEUR

Il ne grignote pas : OGRE

Il ne pousse pas dans le bon sens : ÉPI

Il niche sur les côtes : EIDER

Il prête de l'argent : USURIER

Il ressemble beaucoup à l'unau : AÏ

Il savait jouer de la lyre : AÈDE

Il se bat : BOXEUR, LUTTEUR

Il servait à boire : TAVERNIER

Il tombe et nous fait courir : ORAGE

Il tourne : CINÉASTE

Il vaut mieux ne pas lui emprunter d'argent :
USURIER

Il vend ou pose des tissus d'ameublement :
TAPISSIER

Il vit de revenus non professionnels :
RENTIER

Il vit en montagne : ISARD

Il y a celle du Nord et celle du Sud :
CAROLINE, CORÉE

Il y a le troisième : ÂGE

Il y en a au moins une dans presque tous les
foyers : TÉLÉ

Il y en a dans la bière : HOUBLON, ORGE
Il y en a dans le plasma : URÉE
Il y en a plus d'une sur le drapeau américain:
    ÉTOILE
Il y en a plusieurs en Océanie : ÎLE
Il y en a un gramme par litre, dans la sueur :
    URÉE
Il y fait chaud : REG
Île d'Estonie : DAGÖ, HIIUMAA
Île de France : RÉ
Île de Grèce, dans la mer Égée : IOS
Île de l'Atlantique : RE
Île de sable : JAVEAU
Île voisine d'Oléron, de La Rochelle : RÉ
Ils coupaient et réduisaient la tête de leurs
        ennemis morts : JIVARO, JIVAROS
Ils sont humains : ÊTRES
Ils sont passés dans les mœurs : US
Ils sont quatre : AS
Imaginaire : IRRÉEL
Imitation de marbre : STUC
Imite le bruit de quelque chose qui tombe :
    BADABOUM
Imite le roulement du tambour :
    RATAPLAN
Imiter de façon grotesque : SINGER
Immaculé : NET
Immoler : TUER
Impasse : RUE

Impayé : DÛ
Impeccable : NET
Impératrice née à Athènes : IRÈNE
Implacable : DUR
Importuner à force de répéter : SERINER
Importuner vivement : EMPOISONNER
Imposer des idées à : ENDOCTRINER
Imposer une charge excessive à : ÉCRASER
Impossible à rapporter à un ensemble connu
    : INCLASSABLE
Imprécis : VAGUE
Imprégné légèrement d'eau : HUMIDE
Imprégner d'empois : EMPESER
Imprimer : TIRER
Impulsion : ÉLAN, ESSOR
Inactif : DÉSŒUVRÉ, OISIF
Inanimé : INERTE
Inattendu : INESPÉRÉ
Incapable : INAPTE
Incertitude : IRRÉSOLUTION
Incisive : DENT
Inciter : TENTER
Incompétent : NUL
Incorporer : INTÉGRER
Incroyant : IMPIE
Indécence : IMPUDEUR
Indien : IROQUOIS
Indifférent : SEC
Indigné : OUTRÉ

Indique l'antériorité dans le temps et
  l'espace: AVANT
Indique l'approximation : VERS
Indique la direction : VERS
Indique la façon, la manière : EN
Indique la postériorité dans le temps :
  APRÈS
Indique le lieu : LÀ, OÙ
Indique le mépris : FI
Indique le moyen : EN
Indique un choix, une alternative : OU
Indique une répétition : ENCORE
Indispensable à quelqu'un : VITALE
Indispensable pour jouer au trictrac : DÉ
Indispensable : NÉCESSAIRE
Indium : IN
Individu : ÊTRE
Inepte : SOT
Inesthétique : LAID
Inévitable : NÉCESSAIRE
Inexpressif : ATONE
Infinitif : ER, IR, OIR, RE
Inflammation aiguë d'un doigt : PANARIS
Inflammation d'une partie de l'œil : UVÉITE
Inflammation : OTITE
Informer : AVISER
Infus : INNÉ
Infusion : TILLEUL
Ingénieur et physicien écossais : JOHN
  LOGIE BAIRD

Ingurgiter : BOIRE
Inhabituel : RARE
Inhumain : ATROCE
Inhumer : ENTERRER
Inintelligent : SOT
Initiative de défense stratégique : I.D.S.
Injurier : INSULTER
Inodore : INSIPIDE
Inscrire (s') à un parti : ADHÉRER
Inscrire (s') en faux : NIER
Insecte carnassier : NÈPE
Insecte coléoptère : CÉTOINE, TÉNÉBRION
Insecte parasite : POU
Insigne liturgique : ÉTOLE
Insipide : INODORE
Insolite : RARE
Insouciance : IMPRÉVOYANCE
Inspection générale des services : I.G.S.
Inspiratrice d'un artiste : ÉGÉRIE
Inspiré par la charité : CARITATIF
Installer sur une chaise : ASSEOIR
Instauré par Hitler : REICH
Instituer : ÉRIGER
Instruire d'un secret : INITIER
Instrument à cordes métalliques pincées :
      CLAVECIN
Instrument à cordes : ALTO, BANJO,
      CONTREBASSE, GUITARE, HARPE,
      LYRE, MANDOLINE, VIELLE,
      VIOLON, VIOLONCELLE

Instrument à griffes : GRAPPIN
Instrument à percussion : BATTERIE,
    CAISSE, CASTAGNETTES, CYMBALE,
    GLOCKENSPIEL, GONG, TAMBOUR,
    TAMBOURIN, TIMBALE, TRIANGLE,
    XYLOPHONE
Instrument à vent : ACCORDÉON,
    CLAIRON, CLARINETTE, COR,
    CORNEMUSE, FLÛTE,
    HARMONIUM, HAUTBOIS, ORGUE,
    SAXOPHONE, TROMBONE,
    TROMPETTE, TUBA
Instrument agricole : HERSE
Instrument au moyen duquel on examine le
    conduit auditif : OTOSCOPE
Instrument d'optique : LUNETTE,
    MICROSCOPE
Instrument de labour : ARAIRE
Instrument de musique russe : BALALAÏKA
Instrument pour écrire : PLUME
Instruments jouant des sons de même
    hauteur : UNISSON
Insulaire : ÎLIEN
Insupportable : INFERNAL
Intact : VIERGE
Intégrer (s') : IMMISCER
Intégrer : INSÉRER
Intelligent : SENSÉ
Intercaler : INSÉRER

Interdit : ILLICITE

Intérêt perçu au-delà du taux licite : USURE

Intérieur du tube d'une bouche à feu : ÂME

Interjection espagnole : OLÉ, OLLÉ

Interjection : AH, AÏE, BAH, DIA, CHUT,
    CRAC, EH, FI, HA, HÉ, HARDI, HEIN,
    HÉLAS, HEM, HEU, HO, HOLÀ,
    HOURRA, HUE, HUM, MINE, OH,
    OHÉ, OUAIS, OUF, OUSTE, PAF, PAN,
    PATATRAS, PIF, POUAH, PST,
    SAPRISTI, ZUT

Interprétation : VERSION

Interrompre la connexion : DÉBRANCHER

Interrompre : CESSER

Interruption brutale : CASSURE

Interruption : ARRÊT

Intervalle de temps : ESPACE

Intime : SECRET

Introduire (s') : PÉNÉTRER

Introduire le désordre dans un ensemble :
    DÉSORGANISER

Invectiver : ENGUIRLANDER

Inventer : CRÉER

Ire : COURROUX

Iridium : IR

Irlande : ÉRIN

Iroquois : INDIEN

Irritant au goût : ÂCRE

Islande : ÎLE

Isolé : SEUL
Italien né à Alexandrie : UMBERTO ECO
Ivette : IVE
Ivresse : ÉBRIÉTÉ

J

Jaillir : GICLER
Jamais : ONC, ONCQUES, ONQUES
Jaunisse : ICTÈRE
Jeu de cartes : BELOTE
Jeu chinois : GO
Jeu d'argent : PARI
Jeune animal : CHATON, CHIOT, PETIT,
    GORET, HÈRE, POULAIN, POUSSIN,
    TAURILLON (et plusieurs autres)
Jeune élève de la classe de danse, à l'Opéra :
    RAT
Jeune femme : NANA
Jeune fille : NÉNETTE
Jeune noble : PAGE
Joie collective : LIESSE
Joindre par le bout : ABOUTER
Joindre : LIER, RÉUNIR, UNIR
Joint la tête aux épaules : COU
Journaliste : CHRONIQUEUR, CRITIQUE,
    RÉDACTEUR, REPORTER
Judicieux : SENSÉ

Juif : ISRAÉLITE
Jusqu'au niveau du bord : RAS
Justifier : MOTIVER

K

Kamikaze : VOLONTAIRE
Kilomètre : KM

L

L'alfa en est une : SPART
La belle saison : ÉTÉ
La betterave en est une : APÉTALE
La Chine s'y trouve : ASIE
La Corse en est une : ÎLE
La Cour internationale de justice en fait
        partie : ONU
La fleur : ÉLITE
La Havane s'y trouve : CUBA
La littérature en est un : ART
La livre irlandaise y circule : EIRE
Là où l'on célèbre un carnaval célèbre : RIO
La période idéale pour la navigation : ÉTÉ
La plus belle : REINE

La pupille s'y trouve : IRIS
La religion est celui du peuple, selon Karl
    Marx : OPIUM
Labiée à fleurs jaunes : IVE, IVETTE
Lac du Soudan : NO
Lac italien : ISEO, SEBINO
Lacer : NOUER
Lâche : PLEUTRE
Laisse passer l'air : NARINE
Laisser : QUITTER
Laisser-aller : INCURIE
Laize : LÉ
Lama des Andes : VIGOGNE
Lamenter à tout propos (se) : GEINDRE
Langue autochtone des Philippines : TAGAL
Langue indo-européenne : PERSE
Langue nordique : ISLANDAIS
Langue romane : SARDE
Langue : ANGLAIS, CHINOIS,
    ESPAGNOL, FINNOIS, FLAMAND,
    FRANÇAIS, HINDI, ITALIEN,
    PERSAN, PORTUGAIS, RUSSE,
    WALLON (et d'autres)
Lanterne vénitienne : LAMPION
Larcin : VOL
Large : AMPLE
Largement marqué : GRAS
Largeur d'une étoffe, d'une bande de papier
    peint : LÉ

Lascif : SENSUEL
Le baptême a les siens : RITES
Le bijoutier en fait des anneaux : OR
Le cinéma en est un : ART
Le coin du feu : ÂTRE
Le crapaud en est un : ANOURE
Le dessus du panier : ÉLITE
Le foie gras en est une de luxe : ENTRÉE
Le grand n'est pas facile à faire : ÉCART
Le Japon s'y trouve : ASIE
Le matin : A.M.
Le meilleur : AS
Le millième de : MILLI
Le moment de rêver : NUIT
Le monde habité : UNIVERS
Le mot de la fin : AMEN
Le pain et le... : BEURRE
Le plus vieux : AÎNÉ
Le premier des nombres entiers : UN
Le rossignol en est un : PASSEREAU
Le soleil s'y lève : EST, JAPON
Le temps des casquettes et des sandales :
     ÉTÉ
Le trèfle a le sien : AS
Le troisième est le régime instauré par Hitler:
     REICH
Le Yémen en fait partie : ARABIE
Lé : LAIZE
Légende : RACONTAR, RÉCIT

Légère apparence : LUEUR
Légumineuse : ERS, HARICOT
Lente désagrégation : CORROSION
Lentille : ERS
Léopard des neiges : ONCE
Les doigts et les orteils : VINGT
Les officiers y prennent leurs repas : MESS
Les papillons en ont : AILES
Les rognons, le foie, etc. : ABATS
Les vaches s'y plaisent : PRÉ
Leste : AGILE
Lettre en vers : ÉPÎTRE
Lettre grecque : ALPHA, BÊTA, ÊTA,
    GAMMA, MU, NU, OMÉGA, PI, PSI,
    TAU, XI (et il y en a d'autres...)
Lettré : ÉRUDIT
Levant : EST
Levée, aux cartes : PLI
Lever les pieds de derrière : RUER
Libertin : ÉGRILLARD
Licencieux : OSÉ
Lieu de délices : ÉDEN
Lieu de détente : OASIS
Lieu de refuge des bêtes sauvages :
    REPAIRE
Lieu de rencontre : RUE
Lieu où le loup se repose : LITEAU,
    TANIÈRE
Lieu où on défend certaines idées :
    CITADELLE

Lieu réservé aux hommes : URINOIR
Lime plate : RÂPE
Limite fixée dans le temps : TERME
Limite supérieure d'une condamnation
    pénale : MAXIMUM
Linceul : SUAIRE
Liquide émis par les glandes reproductrices
    mâles : SPERME
Liquide inflammable : ÉTHER
Liquide organique : SUC
Lire lettre par lettre : ÉPELER
Lisière d'un bois, d'une forêt : ORÉE
Lisse : UNI
Liste de plats : MENU
Livre : ABÉCÉDAIRE, ABRÉGÉ, AIDE-
    MÉMOIRE, ALMANACH,
    ANNUAIRE, ANTHOLOGIE,
    BARÈME, BIBLIOGRAPHIE,
    BIOGRAPHIE, BOUQUIN,
    CATALOGUE, CHRONIQUE, CONTE,
    DICTIONNAIRE, DIPTYQUE, ÉCRIT,
    ENCYCLOPÉDIE, ESSAI, ÉTUDE,
    GLOSSAIRE, GRAMMAIRE, GUIDE,
    JOURNAL, LEXIQUE, MANUEL,
    MANUSCRIT, MÉMENTO,
    MÉMOIRE, MÉTHODE, NOUVELLE,
    OUVRAGE, PAMPHLET, PIÈCE,
    POÉSIE, PRÉCIS, REGISTRE,
    RÉPERTOIRE, RÉSUMÉ, ROMAN,

THÈSE, TOME, TRAITÉ, TRAVAIL, TRILOGIE, VOCABULAIRE, VOLUME

Localiser : SITUER

Locution signifiant rendre vivement la pareille : DU TAC AU TAC

Logement du chien : CHENIL, LOGE, NICHE

Logement misérable : TAUDIS

Logement : NID

Loger (se) : NICHER

Loi promulguée par un roi : ÉDIT

Loin d'être instantané : LENT

Long tube servant à souffler le verre : CANNE

Longue en hiver : NUIT

Louange : ÉLOGE

Luge : TRAÎNEAU

Lumen : LM

M

Machin : UNTEL

Machine à filer : ROUET

Machine destinée à un usage particulier : ENGIN

Maculer : SALIR

Magistrat romain : TRIBUN

Maintenir dans la même position (se) : RESTER

Maintenir fermement : SERRER

Maître à penser, spirituel : GOUROU,
     GURU

Majeur : ADULTE

Malade de Molière : IMAGINAIRE

Malade : CONDAMNÉ, MORIBOND,
     PERDU

Maladie de la vigne : ROT

Maladie des plantes : ROT

Maladie héréditaire : TARE

Maladie infectieuse : ÉRÉSIPÈLE,
     ÉRYSIPÈLE

Maladie mentale : NÉVROSE, PSYCHOSE

Maladie particulière à une région donnée :
     ENDÉMIE

Maladie respiratoire : ASTHME

Maladie : AFFECTION, AVITAMINOSE,
     INFECTION, INTOXICATION, MAL,
     SYNDROME, TRAUMATISME, VIRUS

Malaxer : PÉTRIR, REMUER

Mâle reproducteur : ÉTALON

Maléfice : SORTILÈGE

Malformation congénitale de la lèvre
     supérieure : BEC-DE-LIÈVRE

Malhonnête : INDÉLICAT

Malmener : TARABUSTER

Mamelle : PIS, TÉTINE

Mammifère (famille, type) : CANIDÉ,
     CARNIVORE, CHIROPTÈRE,

ÉDENTÉ, INSECTIVORE,
MARSUPIAL, MONOTRÈME,
ONGULÉ, PRIMATE,
PROBOSCIDIEN, RONGEUR,
SIRÉNIEN, URSIDÉ

Mammifère carnivore d'Australie : DINGO

Mammifère carnivore : CHAT, CHIEN,
LOUP, MARTE, OURS, TIGRE,
ZIBELINE (et plusieurs autres...)

Mammifère d'Afrique : AÏ, GIRAFE, UNAU
(parmi tant d'autres...)

Mammifère d'Amérique tropicale : TAPIR
(pour ne nommer que celui-ci...)

Mammifère fouisseur et souterrain de petite
taille : TAUPE

Mammifère herbivore : BŒUF, GNOU,
MOUTON, RHINOCÉROS, TAPIR (et
plusieurs autres...)

Mammifère marin de grande taille :
BALEINE, MORSE, ORQUE

Mammifère originaire du sud de l'Asie :
ZÉBU

Mammifère très lent : AÏ, UNAU

Mammifère voisin du sanglier :
PHACOCHÈRE

Manganèse : MN

Manie : HABITUDE, TIC

Manière d'agir jugée aberrante : HÉRÉSIE

Manière d'agir qui manifeste un manque de
maturité : ENFANTILLAGE

Manière d'être : ÉTAT

Manière de cuire le bœuf à l'étouffé :
    DAUBE

Manière habile de faire quelque chose : ART

Manifestation brillante et fugitive :
    ÉTINCELLE

Manifestation morbide brutale : ICTUS

Manifester de la gêne : ROUGIR

Manillon : AS

Manque de clarté : OBSCURITÉ

Manque de force : ATONIE

Manquement aux règles : OUBLI

Manquer : RATER

Manteau porté sur l'armure : TABAR,
    TABARD

Manufacture : USINE

Marcha en sabots : IO

Marche au pas : GI

Marcher vite et à petits pas : TROTTINER

Marcher vite et beaucoup : TROTTER

Mari : ÉPOUX

Mariage : UNION

Marie-Antoinette : REINE

Marier avec (se) : ÉPOUSER

Marin de moins de 17 ans : MOUSSE

Marotte : IDÉE

Marqué de raies : STRIÉ

Marqué de taches : TAVELÉ, TIQUETÉ

Marque distinctive : TRAIT

Marque l'addition : ET, NI, PUIS, ENSUITE, ALORS, AUSSI, COMME

Marque l'alternative : OU, SOIT, TANTÔT

Marque l'explication : C'EST-À-DIRE, SOIT

Marque l'interrogation : COMBIEN, COMMENT, POURQUOI

Marque l'opposition : MAIS, CEPENDANT, NÉANMOINS, POURTANT, TOUTEFOIS

Marque la cause : CAR, EFFECTIVEMENT

Marque la compagnie : AVEC

Marque la conséquence : DONC, AUSSI, ALORS, AINSI

Marque la façon, la manière : EN

Marque la possession : LEUR, LEURS, MA, MES, MIEN, MON, NOS, NOTRE, NÔTRE, SA, SES, SIEN, SON, TA, TES, TIEN, TON, VOS, VOTRE, VÔTRE

Marque la surprise : HA, HO, HÉ

Marque le dédain : FI

Marque le doute : HEU

Marque le lieu : EN, LÀ, OÙ

Marque le moment : EN

Marqué par des événements funestes : NÉFASTE

Marqué par la petite vérole : GRÊLÉ

Marque une alternative : OU

Marque une liaison : ET

Marque : SCORE

Marquer le début : INAUGURER
Marrer (se) : RIRE
Masqué, en certaines occasions : BAL
Masse de pierre très dure : ROC
Massif d'Algérie : BIBANS
Matériau pour meubles luxueux : ÉBÈNE
Mathématicien allemand : LUDWIG OTTO
    HESSE
Mathématicien suisse : LEONHARD
    EULER
Matière carbonée noire et épaisse : SUIE
Matière fécale moulée : ÉTRON
Matière minérale dure et solide : PIERRE
Matière textile : ABACA
Matin : A.M.
Matrice : UTÉRUS
Mauvaise humeur : IRE
Mauvaise position du roi : MAT
Mauve rosé : LILAS
Mec : GUS, HOMME
Mèche de cheveux : ÉPI
Mécontentement : IRE
Médecin : DOCTEUR, DR, TOUBIB
Mélange d'aliments pour animaux
    domestiques : PÂTÉE
Mélanger avec un liquide : DILUER
Mélodie : AIR
Membre d'une assemblée : SÉNATEUR
Membre de la compagnie de Jésus : JÉSUITE

Même pas quelques miettes : RIEN
Mémoire morte : ROM
Mémoire vive : RAM
Mener une vie faite de parties de plaisir :
    BAMBOCHER
Menuet : DANSE
Méprisable : BAS, VIL
Mer située entre la Grèce et la Turquie :
    ÉGÉE
Mer : ANTILLES, ARABIE, BALTIQUE,
    BARENTS, BEAUFORT, BÉRING,
    CASPIENNE, ÉGÉE, JAPON,
    MÉDITERRANÉE, NOIRE, NORD,
    NORVÈGE, OKHOTSK, ROUGE,
    SARGASSES, SIBÉRIE (et d'autres...)
Méridienne : SIESTE
Merle : OISEAU
Mesure agraire : ARE
Mesure chinoise : LI
Mesure de capacité ancienne pour les grains :
    SETIER
Mesure de longueur : MÈTRE (et ses
    dérivés), MILLE, PIED, POUCE
Mesure : ARE, LI, LITRE
Mesure, itinéraire : LI
Mesurer un tas de bois : STÉRER
Mesurer : MÉTRER, STÉRER
Métal blanc dur et inoxydable : CHROME
Métal blanc et brillant : ÉTAIN

Métal de couleur rouge-brun : CUIVRE
Métal léger : BÉRYLLIUM
Métal précieux : PLATINE
Métal rare : OR
Métal tenace et malléable : FER
Métal très malléable : ÉTAIN
Méthode de stérilisation : UPÉRISATION
Méthodique et rationnel : CARTÉSIEN
Métier : AGENT, AUBERGISTE,
    BIOLOGISTE, CHERCHEUR,
    CHARPENTIER, CHIMISTE,
    CHRONIQUEUR, CINÉASTE,
    COURRIÉRISTE, CRITIQUE,
    DACTYLO, ÉCHOTIER,
    ÉDITORIALISTE, ÉPICIER,
    GARAGISTE, GARDIEN, GÉRIATRE,
    HÔTELIER, INFORMATICIEN,
    JOURNALISTE, MÉCANICIEN,
    MÉDECIN, PLOMBIER, POLITICIEN,
    PROFESSEUR, RÉDACTEUR,
    REPORTER, SELLIER, TAPISSIER,
    TÉLÉPHONISTE, VENDEUR (et
    combien d'autres!)
Métis : EURASIEN
Mets délicat : RIS
Mets délicieux : RÉGAL
Mettre à l'abri : GARER
Mettre à l'écart : RELÉGUER
Mettre à l'épreuve : TESTER

Mettre à mort en suspendant par le cou :
    PENDRE
Mettre à sec : TARIR
Mettre au point dans les derniers détails :
    FINALISER
Mettre bas, en parlant d'une vache : VÊLER
Mettre dans la tête, à force de répéter :
    SERINER
Mettre des produits agricoles de côté :
    ENSILER
Mettre droit : DRESSER
Mettre en colère : IRRITER
Mettre en éveil : ALERTER
Mettre en morceaux : CASSER
Mettre fin à : CESSER
Mettre la main sur : ARRÊTER
Mettre le feu à : ALLUMER
Mettre mal à l'aise : GÊNER
Mettre plus haut : HISSER, LEVER
Mettre pour la première fois : ÉTRENNER
Mettre un chiffre d'ordre : NUMÉROTER
Mettre un vêtement sur soi : ENDOSSER
Meuble : ARMOIRE, BAHUT,
    BIBLIOTHÈQUE, BUFFET, BUREAU,
    CASIER, CLASSEUR, COMMODE,
    DESSERTE, FICHIER, LIT,
    SECRÉTAIRE, SIÈGE, TABLE (et
    plusieurs autres...)
Meurtre : FRATRICIDE

Meurtri : TALÉ
Meurtrier : ASSASSIN, TUEUR
Miaulement : CRI
Milieu : CENTRE
Mille-pattes : IULE
Millilitre : ML
Mince et allongé : EFFILÉ
Mince et souple : SVELTE
Mince, élancé et fragile : GRACILE
Mis à sec : TARI
Misérable : VIL
Mission des services secrets :
     ESPIONNAGE, ESPIONNER
Missive : LETTRE
Mitraillette : ARME
Moderne : NEUF
Modification de la structure d'un tissu :
     LÉSION
Modifier les termes d'un accord :
     RÉAMÉNAGER
Modifier : ALTÉRER
Molaire : DENT
Mollusque : CÔNE, HUÎTRE, MOULE,
     NASSE, TARET (et plusieurs autres...)
Monarque : ROI
Monceau : AMAS
Monnaie ancienne en Chine : TAEL, TAËL
Monnaie d'or française : LOUIS
Monnaie : (Voir Unité monétaire)

Monnayer une valeur : NÉGOCIER
Monolithe vertical : STÈLE
Monstre aquatique : LÉVIATHAN
Monstre mi-homme et mi-taureau :
      MINOTAURE
Montant de quelque chose : COÛT
Montant des enjeux : POT
Monticule sablonneux : DUNE
Montrer du courage : OSER
Montrer du doigt : DÉSIGNER
Montrer du sang-froid : OSER
Montrer la voie à : GUIDER
Montrer : PRÉSENTER
Monument funéraire : STÈLE
Moquer (se) : IRONISER
Moquerie collective : RISÉE
Morceau de bœuf : CÔTE, ENTRECÔTE,
      FILET, FLANCHET, SURLONGE (et
      d'autres...)
Mort d'une cellule : NÉCROSE
Mort : TRÉPAS
Mortelle aimée de Zeus : EUROPE
Mot d'enfant : NA
Motif déterminant : MOTEUR
Mouche : ABEILLE, DROSOPHILE,
      ÉRISTALE, GLOSSINE, LUCILIE,
      TACHINE, TSÉ-TSÉ (et combien
      d'autres!)
Mouche : APPÂT

Mouiller la couche : URINER
Mouiller les vêtements : SUER
Mouiller : ARROSER
Mourir : CREVER
Mousseux italien : ASTI
Mouton : OVIN
Mouvement affectueux : ÉLAN
Mouvement de la tête : HOCHEMENT
Mouvement de va-et-vient : OSCILLATION
Mouvement imprévu en sens opposé :
      RETOUR
Mouvement : GESTE
Mouvoir : POUSSER
Moyen d'attirer et de tromper : LEURRE
Muet : COI
Munir d'une carabine : ARMER
Mûr, et même un peu trop : BLET
Muscle : ADDUCTEUR, BICEPS,
      DELTOÏDE, HOUPPE, ILIAQUE,
      JAMBIER, PECTINÉ, PECTORAL,
      PSOAS, SOLÉAIRE, TENSEUR,
      TRAPÈZE, TRICEPS
Muse : CALLIOPE, CLIO, ÉRATO,
      EUTERPE, MELPOMÈNE, POLYMNIE,
      TERPSICHORE, THALIE, URANIE
Museau du porc : GROIN
Musicien : ARTISTE, COMPOSITEUR
Mussolini y fut porté au pouvoir : ROME
Musulman : ÉMIR

Mutilé : ESTROPIÉ
Myriapode : IULE

N

N'alla pas à l'abattoir : IO
N'est pas bien : MAL
N'est pas mal : BIEN
Nacrer : IRISER
Nage ventrale : BRASSE
Naïf : CRÉDULE
Naître : ÉCLORE
Narine des cétacés : ÉVENT
Narration : RÉCIT
Natte : TRESSE
Natter : TRESSER
Naturel : AISÉ, INNÉ
Navire à vapeur : STEAMER
Navire de guerre : TRIÈRE
Navire rejeté sur le rivage : ÉPAVE
Ne boit plus : AA
Né de Pasiphaé : MINOTAURE
Ne dure que trois mois : AUTOMNE, ÉTÉ,
        HIVER, PRINTEMPS
Ne fond pas : NÉVÉ
Ne galope pas : AÏ, UNAU
Ne pas attendre d'être libéré : ÉVADER
Ne pas avouer : NIER

Ne pas bâcler : LÉCHER
Ne pas faiblir : RÉSISTER
Ne pas rejeter : ÉLIRE
Ne pas révéler : TAIRE
Ne pas s'en aller : RESTER
Ne pas savoir : IGNORER
Ne pas sentir la rose : PUER
Ne plus pouvoir trouver : PERDRE
Ne pousse pas dans les pays nordiques :
    OLIVIER, PALMIER
Ne pouvoir contenir sa joie : EXULTER
Ne résistent pas à toutes les chutes : OS
Ne s'écrit qu'à la fin : P.-S.
Ne se déplace pas comme un cavalier : ROI
Né : ISSU
Négation : NE, NI
Néon : NE
Neptunium : NP
Neuf : IX
Nez du chien : TRUFFE
Ni chaud ni froid : TIÈDE
Ni droitier ni gaucher : AMBIDEXTRE
Ni rond ni carré : OVOÏDE
Niais : INERTE
Nichon : NÉNÉ, SEIN
Nickel : NI
Nid : COCON
Nier : DÉMENTIR
Nimbus : NUAGE

Nitrate de potassium : NITRE

Noble : ÉLEVÉ

Noceur : FÊTARD

Noël en est une : FÊTE

Nœud coulant pour prendre le gibier :
    LACET

Noir : ÉBÈNE

Noir, c'est une personne indésirable :
    MOUTON

Noire, le plus souvent : ENCRE

Noisette : AVELINE

Noix de : PÉCAN

Nom commun à la badiane : ANIS

Nom de plusieurs herbes : SPART, SPARTE

Nom donné dans l'histoire littéraire à
    plusieurs groupes de sept poètes :
    PLÉIADE

Nom générique de singes : PAPION

Nom traditionnel de la Grande-Bretagne :
    ALBION

Nombre mesurant une surface : AIRE

Nombre moyen d'habitants par unité de
    surface : DENSITÉ

Nommer à une fonction : ÉLIRE

Nommer oralement chaque lettre : ÉPELER

Non dit : TU

Non-métal : TELLURE

Nord-Est : NE

Nord-Ouest : NO

Note mise au bas d'un texte écrit : NB
Note : DO (UT), RÉ, MI, FA, SOL, LA, SI
Note : MÉMO
Notez bien : NB
Notre Seigneur : NS
Nouer : LACER
Nourrir de force : GAVER
Nous protège de la pluie : ABRI
Nous vient de Chine : THÉ
Nouveau : NEUF
Nouvelle Lune : SYZYGIE
Nouvelle : DÉPÊCHE, ÉCHO
Noyau d'une statue : ÂME
Noyau de l'atome du deutérium :
    DEUTERON
Nuance : NOTE
Nuancer : NUER
Nuisible : NÉFASTE

O

Objectif à focal variable : ZOOM
Objet curieux : RARETÉ
Objet de piété de mauvais goût :
    BONDIEUSERIE
Objet précieux : TRÉSOR
Obtempérer : OBÉIR
Obtenir : AVOIR, RECEVOIR

Occlusion intestinale : ILÉUS
Occupation puérile : BALIVERNE
Occupe le centre antérieur de l'œil : IRIS
Océan : ATLANTIQUE, ARCTIQUE,
    INDIEN, PACIFIQUE
Odeur agréable : SENTEUR
Œuvre d'art en trois dimensions :
    SCULPTURE
Œuvre théâtrale : PIÈCE
Officier, dans l'empire ottoman : AGA,
    AGHA
Oiseau aquatique présentant une palmure
    aux doigts : PALMIPÈDE
Oiseau aquatique : CANARD
Oiseau de la taille d'un geai : ROLLIER
Oiseau de proie : AIGLE, FAUCON,
    CONDOR, VAUTOUR
Oiseau échassier : BÉCASSE, CIGOGNE,
    HÉRON, IBIS, PLUVIER, RÂLE
Oiseau grimpeur : ARA, PSITTACIDÉ
Oiseau palmipède : CANARD,
    CORMORAN, CYGNE, FOU,
    GOÉLAND, OIE, PÉLICAN,
    PINGOUIN, STERNE
Oiseau passereau : ALOUETTE, CORBEAU,
    CUL-BLANC, FAUVETTE, GEAI,
    GRIVE, HIRONDELLE, MERLE,
    MÉSANGE, MOINEAU, MOTTEUX,
    PIE, PINSON, ROLLIER,

ROSSIGNOL, ROUGE-GORGE,
SERIN, SITTÈLE, SITTELLE,
TANGARA, TRAQUET
Oiseau ratite de grande taille : ÉMEU
Oiseau vif et agile : TARIN
Oiseau voisin de la caille : COLIN
Oiseau : AUTRUCHE, COLIBRI, COQ,
GRUE, OUTARDE, PERDRIX,
PERROQUET, PIE, POULE, TOUCAN
(et bien d'autres...)
Oisif : INACTIF
Omettre : OUBLIER
On aime la recouvrer : SANTÉ
On aime la regarder ou l'écouter : TÉLÉ
On aime qu'il soit blanc : NOËL
On connaît bien ses saucisses : TOULOUSE
On dit qu'il est paresseux : LOIR
On en extrait de l'huile : OLIVE
On en fait de la soupe : OSEILLE
On en fait des bottes : CUIR
On en fait des bracelets : OR
On en fait des cocktails : GIN
On en fait des lingots : OR
On en fait des meubles de luxe : ÉBÈNE
On en fait des miroirs : TAIN
On en fait une teinture : IODE
On en met dans les sauces : SEL
On en met sur certains meubles : VERNIS
On en remplit certains réservoirs : ESSENCE

On est toujours prêt à l'écouter : AMI

On l'aime beaucoup : IDOLE

On la nourrit de force : OIE

On le dit beau, faible ou fort : SEXE

On le dit naïf parfois : ART

On le donne pour nourrir : PAIN

On le sent avant de le boire : VIN

On lui doit *Le pendule de Foucault* :
     UMBERTO ECO

On lui offrait de la chair humaine :
     MINOTAURE

On mesure sa profondeur avec un
     bathymètre : MER

On n'en voit que le haut : ICEBERG

On n'y trouve pas beaucoup à boire : REG

On n'y trouve pas de gros poissons : RU

On n'y verra pas de gros bateaux : RU

On ne l'aime pas quand elle est trop longue :
     ATTENTE

On ne la boit pas : LIE

On ne peut l'entendre : ULTRASON

On ne peut pas y cultiver grand-chose :
     ERG

On ne peut s'en passer : AIR

On peut la faire au beurre noisette : RAIE

On peut la gaver : OIE

On peut le faire rôtir : POULET

On peut le faucher : PRÉ

On peut le mélanger au beurre : AIL

On peut les agiter dans un cornet : DÉS
On peut lui dire tu : AMI
On peut lui raconter n'importe quoi : NAÏF
On peut parfois la perdre : TÊTE
On peut rire comme elle : BALEINE
On peut y boire de la bière : TAVERNE
On peut y pêcher : BAIE, FLEUVE, GOLFE,
     LAC, MER, OCÉAN, RIVIÈRE,
     RUISSEAU
On peut y verser du café : TASSE
On s'y repose : LIT
On voit à travers : VITRE
On y accroche des boules et des guirlandes :
     SAPIN
On y bronze : SOLARIUM
On y brûle du bois : ÂTRE
On y célèbre la messe : AUTEL
On y chante : OPÉRA
On y circule : AVENUE, BOULEVARD,
     CHEMIN, RUE
On y conserve des produits agricoles : SILO
On y danse : BAL, NÔ
On y découpe de la viande : ÉTAL
On y dit la messe : AUTEL
On y fait des analyses : LABORATOIRE
On y fait des réparations mécaniques :
     GARAGE
On y fait du feu : ÂTRE
On y fait du whisky : EIRE

On y fait la vaisselle : ÉVIER
On y forme des administratrices : ENA
On y glisse son bulletin de vote : URNE
On y incinère les morts : CRÉMATORIUM
On y joue : SCÈNE
On y met de l'eau : ARROSOIR
On y met des bulletins de vote : URNE
On y met des cendres : CENDRIER
On y met des céréales : SILO
On y met des œufs : NID
On y met des restes : URNE
On y met nos valises : SOUTE
On y paie avec des roupies : INDE
On y parle hindi : INDE
On y parle persan : IRAN
On y parle portugais : BRÉSIL, PORTUGAL,
    RIO
On y parle wallon : BELGIQUE
On y passe beaucoup de temps : LIT
On y place une balle : TEE
On y prend le train : GARE
On y sert des boissons alcoolisées : PUB
On y traite des épis : MAÏSERIE
On y travaille : USINE
On y trouve des algues : MER
On y trouve des cendres : ÂTRE
On y trouve très peu d'eau : REG
On y va pour apprendre : ÉCOLE
On y va pour voter : ISOLOIR

Ondulation : PLI

Onguent à base de cire et d'huile : CÉRAT

Onomatopée : BOUM, COCORICO, CRAC,
GAZOUILLIS, GLOUGLOU,
ROUCOULEMENT, SUSURRER,
VROMBIR

Ont des feuilles : TIGES

Onze : XI

Opération postale : TRI

Opiniâtre : ENTÊTÉ

Or : AU

Organe de la bouche : DENT

Organe de la génération et du plaisir : SEXE

Organe de la voix : GOSIER

Organe femelle des plantes à fleurs : PISTIL

Organe pointu de la guêpe : DARD

Organe très petit en forme d'outre :
UTRICULE

Organisation des États américains : O.E.A.

Organiser autour de : AXER

Organiser : NOUER

Orientation : AXE

Orifice respiratoire microscopique du
stomate : OSTIOLE

Orifice : ANUS, MÉAT, NARINE, PORE

Orignal : ÉLAN

Orné de métaphores : IMAGE

Ornement : OVE

Orner : EMBELLIR

Orthographier : ÉCRIRE

Os de certains poissons : ARÊTE

Os : ASTRAGALE, CARPE, CLAVICULE, COCCYX, CÔTE, CUBITUS, FÉMUR, HUMÉRUS, ISCHION, OMOPLATE, PÉRONÉ, PHALANGE, RADIUS, ROTULE, SACRUM, STERNUM, TIBIA, VERTÈBRE (et il y en a d'autres...)

Osmium : OS

Ôter : ENLEVER

Où l'on peut tomber : GLISSANT

Où l'on vend au plus offrant : ENCAN

Oubli : LACUNE

Oublier : OMETTRE

Outil ancien : SILEX

Outil de charpentier : TARIÈRE

Outil de jardinier : BINETTE

Outil pour tailler le sabot du cheval : RÉNETTE

Outil servant à travailler le bois, le fer : CISEAU

Outil : CLÉ, LIME, MARTEAU, PINCE, SCIE (et plusieurs autres...)

Outré : INDIGNÉ

Ouverture d'un violon : ESSE

Ouverture : MÉAT

Ouvrage de poésie en vers : ODE

Ouvrage important du judaïsme : TALMUD

Ouvrier chargé du montage des vêtements :
    APIÉCEUR
Ouvrir (s'), en parlant des fleurs : ÉCLORE
Ouvrir de force : ÉVENTRER
Ouvrir quelque chose de force : ÉVENTRER
Ouvrir une fenêtre : AÉRER
Ouvrir une huître : ÉCAILLER

P

Pain non levé dans lequel on met de la
    viande ou des légumes : PITA
Pain rond : MICHE
Palais du sultan : SÉRAIL
Palladium : PD
Palper : TÂTER
Papeterie : USINE
Papillon diurne : MONARQUE
Paquet de billets : LIASSE
Paquet de vêtements : BALLUCHON
Par la bouche : ORAL
Paradis : ÉDEN
Parasite intestinal : VER
Parasite : POU
Parcourir à grands pas : ARPENTER
Parcourir de nouveau : RELIRE
Parcourir des yeux : LIRE

Parcours : ITINÉRAIRE

Parent lointain : AÏEUL

Parent : FRÈRE, GRAND-MÈRE, GRAND-PÈRE, MÈRE, NEVEU, NIÈCE, ONCLE, PÈRE, SŒUR, TANTE

Parer : ORNER

Parfait en son genre : IDÉAL

Parfum : ARÔME, ESSENCE, FRAGRANCE, NARD, SENTEUR

Parier : GAGER

Parler beaucoup à propos de rien : BABILLER

Parler d'une manière inintelligible : BAFOUILLER

Parler fort : CRIER

Parmi les fondateurs du surréalisme : ARAGON

Parole basse : VILENIE

Parole historique : MOT

Partager : LOTIR

Parti communiste : P.C.

Participer activement à la vie d'un parti politique : MILITER

Partie amont d'un glacier : NÉVÉ

Partie antérieure d'un projectile : OGIVE

Partie charnue du corps : FESSE, JOUE, RONDEUR

Partie d'un canal : SAS

Partie d'un fauteuil : BRAS

Partie d'un vélo : CADRE, FOURCHE, GUIDON, PÉDALE, PÉDALIER, RAYON, ROUE, SELLE (et plusieurs autres...)

Partie d'un violon : ESSE

Partie d'une balance recevant les poids : PLATEAU

Partie d'une bouteille : COL, CUL

Partie d'une charrue : AGE

Partie d'une cheminée : ÂTRE

Partie d'une côtelette : OS, VIANDE

Partie d'une fleur : PÉTALE, TIGE

Partie d'une journée : APRÈS-MIDI, AVANT-MIDI, HEURE, MATIN, MATINÉE, MIDI, MINUTE, NUIT, SECONDE, SOIR

Partie d'une maison : CAVE, CHAMBRE, CORRIDOR, COULOIR, CUISINE, ENTRÉE, GRENIER, PIÈCE, SALLE, SOUS-SOL, TERRASSE, TOIT, VÉRANDA, VESTIBULE (et plusieurs autres...)

Partie d'une manivelle : NILLE

Partie d'une poulie : RÉA

Partie d'une voile : RIS

Partie de débauche : ORGIE

Partie de l'intestin : CÔLON

Partie de l'œil : IRIS

Partie de la bouche : DENT, LÈVRE, PALAIS

(et d'autres...)

Partie de la jambe : CUISSE, GENOU, MOLLET (et d'autres...)

Partie de la tête : BOUCHE, CERVEAU, CHEVEU, CRÂNE, FRONT, JOUE, MENTON, NEZ, ŒIL, OREILLE, OS, PAUPIÈRE, TEMPE (et d'autres...)

Partie de livre : ONCE

Partie de mer avancée dans les terres : GOLFE

Partie de plaisir : RIBOULDINGUE

Partie du bréviaire : NONE

Partie du corps d'une jument : ARS

Partie du corps de certains insectes : AILE

Partie du corps de la femme : OVAIRE, TROMPE, UTÉRUS, VAGIN (et plusieurs autres...)

Partie du corps : AVANT-BRAS, BOUCHE, BRAS, CERVEAU, CHEVILLE, CŒUR, COU, COUDE, CUISSE, DENT, DOS, ÉPAULE, FESSE, FOIE, DOIGT, GENOU, GIRON, HANCHE, JAMBE, MAIN, MENTON, NEZ, ŒIL, ONGLE, OREILLE, OS (tous les os), PEAU, PIED, POIGNET, POUMON, REIN, SEIN, TÊTE, TORSE (et plusieurs autres...)

Partie du foie : HILE

Partie du pied : ORTEIL

Partie du squelette du pied : MÉTATARSE
Partie enflée de quelque chose :
    BOURSOUFLURE
Partie finale d'un mot : TERMINAISON
Partie flottante ou tombante d'un vêtement :
    PAN
Partie interne : SEIN
Partie matérielle de l'être humain : CORPS
Partie molle du pain : MIE
Partie postérieure du cou : NUQUE
Partie postérieure : ARRIÈRE
Partie qui avance : SAILLIE
Partie saillante allongée : CÔTE
Partir sans laisser d'adresse : ÉVADER
Parvenir à destination : ARRIVER
Pas à eux : MA, MES, MON, NOS, NOTRE,
    TA, TES, TON, VOS, VOTRE
Pas à lui, à elle : MA, MES, MON, NOS,
    NOTRE, TA, TES, TON, VOS, VOTRE
Pas à moi : LEUR, LEURS, SA, SES, SON,
    TA, TES, TON, VOS, VOTRE
Pas à nous : LEUR, LEURS, SA, SES, SON,
    TA, TES, TON, VOS, VOTRE
Pas à toi : LEUR, LEURS, MA, MES, MON,
    NOS, NOTRE, SA, SES, SON
Pas à vous : LEUR, LEURS, MA, MES,
    MON, NOS, NOTRE, SA, SES, SON
Pas ailleurs : ICI
Pas beaucoup : PEU

Pas blême : ROUGEÂTRE

Pas blessé : INTACT

Pas bon marché : CHER

Pas calme : TENDU

Pas compliqué : AISÉ

Pas concret : IRRÉEL

Pas confus : NET

Pas cultivé : IGNARE

Pas diligent : LENT

Pas dit : TU

Pas du tout primitif : ÉVOLUÉ

Pas en état de prendre le volant : SAOUL,
    SOÛL

Pas en santé : MALADE

Pas facile : ARDU

Pas imaginaire : RÉEL

Pas interdit : LICITE

Pas là : ABSENT

Pas loin : PRÈS

Pas ou peu compliqué : ENFANTIN

Pas par écrit : ORAL

Pas petit : VOLUMINEUX

Pas rapide : LENT

Pas rejeté : ÉLU

Pas sombre : GAI

Pas tard : TÔT

Pas toujours bonne à dire : VÉRITÉ

Pas tout à fait rond : OVALE

Pas très brillante : OIE

Pascal : PA

Passa de la table au pré : IO

Passe à Albertville : ISÈRE

Passe à Grenoble : ISÈRE

Passe à Innsbruck : INN

Passe à Mulhouse : ILL

Passe à Turin : PÔ

Passer à la poêle : CUIRE

Passer au crible : TRIER

Passer rapidement un vêtement : ENFILER

Passer sous l'eau : RINCER

Passer sous silence : OMETTRE

Passer tout près : RASER

Passereau : (Voir Oiseau passereau)

Passe-temps très économique : LECTURE

Passionné : ÉPERDU

Passionner : CAPTIVER

Pâtisserie : BABA, CHOU, ÉCLAIR, FLAN,
        GÂTEAU, TARTE (et plusieurs autres...)

Patrie des frères Anguier : EU

Patron : SAINT, ST

Patronne : SAINTE, STE

Payer pour accomplir une action :
        STIPENDIER

Payer pour un travail : RÉTRIBUER

Pays d'Amérique centrale : CUBA

Peau : CUIR

Pêche jaune dont la chair adhère au noyau :
        PAVIE

Peigner les cheveux par mèche pour donner du volume à la coiffure : CRÊPER

Peine pécuniaire : AMENDE

Peintre et poète français : JEAN (HANS) ARP

Peintre italien : LÉONARD DE VINCI

Peintre néerlandais : STEEN

Peintre, graveur et sculpteur espagnol : MIRO

Peinture : ART

Pêle-mêle (en ...) : VRAC

Penchant à dire de petites méchancetés ironiques : MALICE

Pendants de la mitre d'un évêque : FANON

Pendule à sonnerie : RÉVEIL

Pénible : TUANT

Penser : COGITER

Pénurie grave : CRISE

Pénurie : CRISE, RARETÉ

Percer de nombreux trous : CRIBLER

Perdre momentanément ses forces physiques ou morales : DÉFAILLIR

Perdre sa route : ÉGARER

Perdre son temps : NIAISER

Perdu : RUINÉ

Père : GÉNITEUR

Période d'activité sexuelle des mammifères mâles : RUT

Période : ÈRE

Perle : ERREUR

Permet d'apprendre les signes de la notation musicale : SOLFÈGE

Permet d'arrêter d'écrire : ETC.

Permet de délivrer un message enregistré : REPORTEUR

Permet de faire des injections : SERINGUE

Permet de mieux s'y retrouver : TRI

Permet de repasser : FER

Permet de sauter plus loin : ÉLAN

Permettre de (se) : OSER

Permis, possible : LOISIBLE

Perroquet : ARA, JACQUOT, MACAREUX (et plusieurs autres...)

Persévérance : TÉNACITÉ

Personnage ayant un pouvoir considérable qu'il exerce de façon intransigeante : AYATOLLAH

Personnage de conte : FÉE, LUTIN, OGRE

Personnage idéaliste qui se pose en redresseur de torts : DON QUICHOTTE

Personne à qui on doit de l'argent : CRÉANCIER

Personne appartenant à un groupe : ÉLÉMENT

Personne choisie : ÉLU, ÉLUE

Personne détenue illégalement : OTAGE

Personne dont la profession est de taper : DACTYLO

Personne faisant partie d'une association :
MEMBRE

Personne gaie : LURON

Personne jouissant d'une autorité indiscutée :
PAPE

Personne peu courageuse : MAUVIETTE

Personne qu'on tourmente : PROIE

Personne qui a perdu toute dignité : LARVE

Personne qui aime les courses de chevaux :
TURFISTE

Personne qui anime : ÂME

Personne qui est l'objet d'adoration : IDOLE

Personne qui excelle : AS

Personne qui fait l'objet d'une préférence
sentimentale : ÉLUE

Personne qui n'est courageuse qu'en paroles
: MATAMORE

Personne qui parcourt le monde : GLOBE-
TROTTER

Personne qui subit les injustices de quelqu'un
: VICTIME

Personne sans compétence : NULLITÉ

Personne tenue en captivité : OTAGE

Personne : ÊTRE

Personnel : ELLE, EUX, IL, JE, ME, MOI,
NOUS, SE, SOI, TE, TOI, TU, VOUS

Personnes en grand nombre : LÉGION

Perspicace : LUCIDE

Perte d'un sens : CÉCITÉ

Perte de l'estime dont quelqu'un jouit : DISCRÉDIT

Perte de sa fortune : RUINE

Perturbation atmosphérique : BOURRASQUE, ORAGE, OURAGAN, TEMPÊTE

Pesant : LOURD

Peser un emballage avant de le remplir : TARER

Petit capital économisé peu à peu : PÉCULE

Petit chemin : SENTE

Petit cheval : BIDET

Petit cube : DÉ

Petit d'un gros mammifère : OURSON

Petit être spirituel : ANGELOT

Petit flacon de verre : FIOLE

Petit fromage de chèvre : CROTTIN

Petit gibier à plumes : ORTOLAN

Petit groupe : ESCOUADE

Petit instrument à vent muni d'un bec : OCARINA

Petit loir : LÉROT

Petit maquereau souvent consommé en marinade : LISETTE

Petit morceau de beurre : NOISETTE

Petit mot latin : ITE

Petit os : OSSELET

Petit passereau : ROITELET

Petit poème pastoral chantant l'amour : IDYLLE

Petit singe : SAÏ
Petit trou dans la peau : PORE
Petit vautour : URUBU
Petite baie peu profonde : ANSE
Petite colline : BUTTE
Petite contribution en argent : OBOLE
Petite incision chirurgicale :
        BOUTONNIÈRE
Petite masse d'explosif : AMORCE
Petite offrande : OBOLE
Petite plante lacustre : ISOÈTE
Petite touffe de barbe sous la lèvre inférieure
        : ROYALE
Petite tranche : RONDELLE
Petit-lait : SÉRAC
Peu compact, peu dense : AÉRÉ
Peur : CRAINTE, PHOBIE, TERREUR
Peut aider à assembler un meuble : RIVET
Peut être culinaire : ART
Peut être dégagé : CIEL
Peut être déserte : ÎLE
Peut être fixe : IDÉE
Peut être flottante : ÎLE
Peut être maligne : TUMEUR
Peut être mauvais : SORT
Peut être muet : RÔLE
Peut être nerveux : RIRE
Peut être positif ou négatif : ION
Peut être précieuse : PIERRE

Peut être primaire, secondaire ou tertiaire : ÈRE

Peut être salé, fumé : LARD

Peut être viagère : RENTE

Peut provoquer une panne : COURT-CIRCUIT

Peut qualifier un coup : SEC

Peut qualifier un détective : PRIVÉ

Peut réveiller celui qui dort : CRI

Peut se dire d'un café : TURC

Peut se dire d'un triangle : ÉQUILATÉRAL, ISOCÈLE, SCALÈNE

Peut se dire d'une âme : SŒUR

Peut se dire d'une étoffe : UNI

Peut se dire d'une sœur : UTÉRINE

Peut se dire en partant : ADIEU

Peut se faire à blanc : TIR

Peut se faire avec un pistolet : TIR

Peut se jouer à la flûte : AIR

Peut se jouer au piano : AIR

Peut se mettre dans le bain : SEL

Peut se trouver dans un pli : AS

Peut servir à recouvrir des meubles : TISSU

Peut suivre un docteur : ÈS

Peuvent être pipés : DÉS

Peuvent servir à faire un brelan : AS

Peuvent servir à faire un carré : AS

Phénomène produit par des gouttelettes d'eau : BROUILLARD

Phénomène : AS
Philosophe et historien grec : ARRIEN
Phobie : PEUR
Phrases : PAROLES
Physicien américain d'origine autrichienne :
      VICTOR FRANZ HESS
Physiologiste suisse : WALTER RUDOLF
      HESS
Pianiste de jazz : ART TATUM
Pianiste français né à Béziers : YVES NAT
Pic des Pyrénées : GER
Pièce comptable : FACTURE
Pièce de bois du gréement d'un bateau :
      ESPAR
Pièce de bois pointue à une extrémité : PIEU
Pièce de fromage : MEULE
Pièce de literie : MATELAS
Pièce de viande cuite au four : RÔTI
Pièce destinée à recevoir les visiteurs :
      SALON
Pièce où il fait très chaud : ÉTUVE
Pièce servant à la fois de salon et de salle à
      manger : SÉJOUR
Pied de vers : IAMBE
Pierre d'aigle : AÉTITE
Pierre fine : OPALE
Pilastre carré, cornier : ANTE
Pionnier de la télévision : JOHN LOGIE
      BAIRD

Piquant à l'odorat : ÂCRE
Pique-assiette : ÉCORNIFLEUR
Pitance quelconque : RATA
Placé de telle façon : MIS, SIS
Placer judicieusement : CASER
Placer sur une balance : PESER
Placer une chose parmi d'autres : INSÉRER
Placer : METTRE
Placer : METTRE, SEOIR
Plaie qui ne se cicatrise pas : ULCÈRE
Plaine du Maroc : GHARB, RHARB
Plaisir extrême : EXTASE
Planche de bois : AIS
Planche étroite et courte utilisée pour
        fabriquer des pièces de meuble : FRISE
Planche : AIS
Planète : ASTRE, JUPITER, MARS,
        MERCURE, PLUTON, SATURNE,
        TERRE, URANUS, VÉNUS
Plante à fleurs jaunes : IVE
Plante bulbeuse : LIS
Plante bulbeuse, appelée aussi *lis Saint-*
        Jacques : AMARYLLIS
Plante couverte de poils : ORTIE
Plante de la famille des rosacées : SPIRÉE
Plante des lieux incultes : THLASPI
Plante dicotylédone : ERS
Plante exotique : LOBÉLIE
Plante grimpante : LIERRE

Plante herbacée : ÉRIGÉRON, RÉSÉDA
Plante ornementale : TAGÈTE, TAGETTE
Plante potagère vivace : ARTICHAUT
Plante potagère : AIL, CHOU
Plante tropicale : TARO
Plante vivace à feuilles en éventail :
      ELLÉBORE
Plante vivace grimpante : TAMIER
Plante vivace malodorante : RUE
Plaque de neige : NÉVÉ
Plaque de pierre : DALLE
Plate-forme fixée à l'extrémité supérieure du
      bas-mât : HUNE
Platine : PT
Plèbe : LIE
Plein d'aigreur : ÂPRE
Plein de vie : ANIMÉ
Pleine Lune : SYZYGIE
Pleurnicher : COUINER
Pli : RIDE
Plomb : PB
Pluie congelée : GRÉSIL
Pluie : AVERSE, ONDÉE, ORAGE
Plumard : LIT
Plume couvrant l'aile des oiseaux :
      TECTRICE
Pluriel : PL
Plus à l'est qu'au nord : ENE
Plus à l'est qu'au sud : ESE

Plus de 800 millions d'habitants : INDE
Plus favorable : MEILLEUR
Plus long : ÉTIRÉ
Plus mauvais : PIRE
Plus que deux fois : TER
Plus vieux : ÂGÉ
Plutonium : PU
Poche abdominale : VESSIE
Pochette : ÉTUI
Poème chanté, dans les pays germaniques :
     LIED
Poème satirique : IAMBE
Poème : LAI, ODE
Poète épique grec : HOMÈRE
Poète français : JOSÉ MARIA DE HEREDIA,
     JACQUES PRÉVERT, ARTHUR
     RIMBAUD
Poète latin : VIRGILE
Poète lyrique grec : ANACRÉON, ARION
Poète mort à Montréal en 1941 :
     NELLIGAN
Poète péruvien : CÉSAR VALLEJO
Poète sans inspiration : RIMEUR
Poète : ÉCRIVAIN
Poids et monnaie dans l'Orient ancien :
     SICLE
Poil : CHEVEU, CIL, CRIN
Point cardinal : EST, OUEST, SUD, NORD
Point de départ d'une chronologie
     particulière : ÈRE

Point de vue : AVIS

Point que l'on vise : BUT, OBJECTIF

Point vers lequel semble se diriger le système
solaire : APEX

Pointe de vitesse : SPRINT

Poison de la Sonde : UPAS

Poisson cartilagineux : RAIE

Poisson comestible : ZÉE

Poisson d'eau douce : ABLETTE, IDE

Poisson de couleur pourpre : IDE

Poisson de forme quadrangulaire :
CARRELET, PLIE

Poisson de mer : DORADE, PAGRE

Poisson des côtes de Provence et d'Espagne :
MÉROU

Poisson des côtes rocheuses de la Manche :
GONELLE

Poisson marin plat : SOLE

Poisson ou insecte : MEUNIER

Poisson rouge : IDE

Poisson : CARPE, DORADE, DORÉ,
PERCHAUDE

Police des polices en France : IGS

Policier : AGENT

Polir : ÉGRISER

Poltron : FROUSSARD

Polygone à neuf angles et neuf côtés :
ENNÉAGONE

Pomme : API, GOLDEN, REINETTE (et
plusieurs autres...)

Pompette : ÉMÉCHÉ, GAI
Populace méprisable : RACAILLE
Porc sauvage : SANGLIER
Port de la Méditerranée : SÈTE
Port sur la baltique : RIGA
Porter (se) : ALLER
Porter au pouvoir : ÉLIRE
Porter sur les nerfs : AGACER, ÉNERVER
Portion : LOT
Posséder : AVOIR
Possessif : MA, TA, SA, MON, TON, SON,
　　　MES, TES, SES, NOTRE, VOTRE, NOS,
　　　VOS, LEUR, MIEN, TIEN, SIEN
　　　,LEURS
Post meridiem : P. M.
Post-scriptum : P.-S.
Potasser : ÉTUDIER
Potentiel d'hydrogène : PH
Pou : TOTO
Poudre utilisée pour teindre les cheveux :
　　　HENNÉ
Pouffer : RIRE
Poulie : RÉA
Pour attirer l'attention : HEM
Pour celui qui franchit le premier la ligne
　　　d'arrivée : OR
Pour certaines expériences : ÉPROUVETTE
Pour coudre : FIL
Pour couper : COUTEAU, ÉGOÏNE, SCIE

Pour défroisser : FER
Pour descendre : ÉCHELLE
Pour désigner : ÇA, CE, CI, CECI, CELA,
     CET, CETTE, CES
Pour écrire ce qu'on a oublié : P.-S.
Pour enfoncer les pavés : HIE
Pour envoyer des signaux : ÉMETTEUR
Pour faire des bracelets ou des chaînes : OR
Pour faire un bon civet : LAPIN
Pour faire vibrer des cordes : ARCHET
Pour fixer un aviron : ERSEAU
Pour imprimer : ENCRE
Pour interpeller quelqu'un : EH
Pour la troisième fois : TER
Pour lancer des flèches : ARC
Pour maintenir un objet : ÉTAU
Pour masquer certains défauts de la peau :
     FARD
Pour ouvrir ou fermer : CLÉ
Pour protéger un matelas : ALAISE, ALÈSE
Pour protéger un objet : ÉTUI
Pour s'arrêter : FREIN
Pour suspendre : ESSE
Pour traverser : PONT
Pour un chat d'appartement : LITIÈRE
Pour unir deux mots : ET, NI, OU
Pourvoir : DOTER
Pourvu : NANTI
Pousse dans l'eau : ALGUE

Pousse dans le jardin : BETTERAVE,
BROCOLI, CAROTTE, CÉLERI,
CHOU, CONCOMBRE, FÈVE,
LAITUE, NAVET, RADIS, TOMATE (et
plusieurs autres...)
Pousse en Malaisie : UPAS
Pousse sur la tête : ÉPI
Pousse sur les vieux troncs : USNÉE
Poussé : MU
Pousser un cri : ÉMETTRE
Pousser : MOUVOIR
Praséodyme : PR
Pratique au labo : TÊT
Précambrien : ÈRE
Précède le lever du soleil : AURORE
Précepteur de Télémaque : MENTOR
Précipitation désordonnée : BOUSCULADE
Précipitation : HÂTE
Précipiter (se) : RUER
Précis : NET
Précision : NETTETÉ
Précurseur de l'aviation : ADER
Préfixe qui indique la suppression : IN
Préfixe signifiant deux : BI
Préfixe signifiant égal : ISO
Préfixe : ANTÉ, ANTI, BI, EX, EXTRA,
HYPER, HYPO, IN, ISO, MI, NÉO,
PARA, PÉRI, POST, PRÉ, TRANS... (et
plusieurs autres...)

Préjudice : DAM
Prélever un liquide : PUISER
Premier vigneron : NOÉ
Première personne : JE, ME
Première vertèbre du cou : ATLAS
Prémolaire : DENT
Prend des notes rapidement : STÉNO
Prend la forme d'un enfant armé : AMOUR
Prendre ce qu'il y a de meilleur dans :
    ÉCRÉMER
Prendre l'empreinte de : MOULER
Prendre sur le fait : COINCER
Prenez garde! : ATTENTION
Prénom d'Hemingway : ERNEST
Prénom de Capone : AL
Préparation au combat : ENTRAÎNEMENT
Préparation colorée : ENCRE
Préparation culinaire : MOUSSE
Préparer (se) à la cuisine : METTRE
Préparer par un long travail intellectuel :
    ÉLABORER
Préparer une action en commun :
    CONCERTER
Préposition : APRÈS, ATTENDU, AVANT,
    AVEC, CHEZ, CONCERNANT,
    CONTRE, DANS, DE, DEPUIS,
    DERRIÈRE, DÈS, DEVANT, DURANT,
    EN, ENTRE, ENVERS, EXCEPTÉ,
    HORMIS, HORS, JUSQUE, MALGRÉ,

MOYENNANT, OUTRE, PAR, PARMI,
PASSÉ, PENDANT, PLEIN, POUR,
PRÈS, PROCHE, SANS, SAUF,
SELON, SOUS, SUIVANT, SUPPOSÉ,
SUR, TOUCHANT, VERS, VU (et
plusieurs autres...)
Près de : LES
Près du bœuf : ÂNE
Présentation graphique d'un texte imprimé :
    TYPOGRAPHIE
Présenter le même aspect que : IMITER
Presse : HÂTE
Prêt à être récolté : MÛR
Prêt pour la douche : NU
Prêt pour un examen médical complet : NU
Prévenir d'un danger : ALERTER
Prévu : SU
Prière : AVÉ, ORAISON, ORÉMUS
Prince musulman : ÉMIR
Prince : AR
Principe chinois : TAO
Principe de vie : ÂME
Principe odorant de la racine d'iris : IRONE
Principe spirituel : ÂME
Prise de lutte : CLÉ
Prison : TÔLE
Privation d'aliments : JEÛNE
Problème : OS
Proche dans le passé : RÉCENT

Prodigieux : INOUÏ
Production de l'épiderme : POIL
Produire des ondes : ÉMETTRE
Produire des sons aigus : TINTER
Produire un bruit aigu : CRISSER
Produire un son aigu et prolongé :
    GRINCER
Produire : GÉNÉRER
Produit de beauté : GEL
Produit par l'action de la chaleur, du feu :
    IGNÉ
Produit sucré élaboré par des pucerons :
    MIELLAT
Profession : (voir Métier)
Profil harmonieux : GALBE
Profit : GAIN
Profitable : UTILE
Profiter de quelqu'un : ABUSER
Profond estuaire de rivière en Bretagne : RIA
Progrès : ESSOR
Projectile : OBUS
Projeter au loin : LANCER
Prolonge la colonne vertébrale : QUEUE
Promenade sans but défini :
    DÉAMBULATION, VADROUILLE
Promenade : RANDONNÉE
Promener avec un air suspect (se) : RÔDER
Promptitude dans l'exécution d'une tâche :
    CÉLÉRITÉ

Pronom familier : TU

Pronom indéfini : ON, TEL, UN, UNE

Pronom interrogatif : QUE, QUEL, QUOI

Pronom personnel : ELLE, ELLES, IL, ILS,
    JE, ME, MOI, ON, SE, SOI, NOUS, TU,
    TE, TOI, VOUS

Pronom relatif : DONT, QUE, QUI, QUOI

Prononcer : DIRE

Propager en s'écartant d'un centre (se) :
    IRRADIER

Propager : SEMER

Propice à la rumination : PRÉ

Proportionner : DOSER

Propos sans valeur : FARIBOLE

Propre à l'homme : VIRIL

Propre à : APTE

Propre : NET

Propriété foncière, en Amérique latine :
    HACIENDA

Protactinium : PA

Protection : ÉTUI

Protège un doigt : DÉ

Protester : RÂLER

Provenir de : ÉMANER

Provient de la fabrication du gruyère :
    SÉRAC

Province de l'Autriche : TYROL

Provoquer de l'intérêt : PLAIRE

Provoquer une grande tension : STRESSER

Public, il est très dangereux : ENNEMI
Publication périodique : JOURNAL,
    MAGAZINE, REVUE
Publication : ÉDITION
Publier : ÉDITER
Puéril : ENFANTIN
Puits naturel : IGUE
Puni par Zeus : ANCHISE

Q

Quadrilatère : CARRÉ, LOSANGE,
    RECTANGLE, TRAPÈZE
Qualifie un col : UTÉRIN
Qualité de ce qui n'est pas flou : NETTETÉ
Qualité naturelle : DON
Quantité de fil de trame insérée dans le tissu,
    d'une lisière à l'autre : DUITE
Quatre : IV
Que l'on a appris : SU
Que presque personne n'emploie : INUSITÉ
Que rien n'atténue : CRU
Quelqu'un : ON
Quelques dizaines d'États : ÉTATS-UNIS,
    USA
Quelques militaires : TROUPE
Querelle : SCÈNE

Question d'un test : ITEM
Qui a 2 000 ans ou plus : BIMILLÉNAIRE
Qui a atteint rapidement une situation
sociale importante sans en acquérir les
manières : PARVENU
Qui a besoin d'un adulte : BÉBÉ
Qui a cessé de vivre : MORT
Qui a de la chance : VERNI
Qui a de la dignité : NOBLE
Qui a de la méthode : ORDONNÉ
Qui a de longues vacances : ÉCOLIER
Qui a des connaissances étendues : DOCTE
Qui a des pousses serrées et abondantes :
DRU
Qui a du talent : DOUÉ
Qui a eu besoin d'argent : ENDETTÉ
Qui a l'esprit pratique : RÉALISTE
Qui a l'esprit vif : DÉLURÉ
Qui a les couleurs du spectre : IRISÉ
Qui a les jambes lestes : INGAMBE
Qui a moins de 20 ans : ADO,
ADOLESCENT
Qui a perdu sa route : ÉGARÉ
Qui a perdu sa vivacité : ÉTEINT
Qui a perdu son chemin : ÉGARÉ
Qui a perdu son éclat : ÉTEINT
Qui a peu d'argent : SERRÉ
Qui a peu d'importance : MENU
Qui a peu de largeur : ÉTROIT

Qui a plus d'un tour dans son sac : FUTÉ

Qui a pour base le nombre huit : OCTAL

Qui a pris plus que quelques verres :
     SAOUL, SOÛL

Qui a rapport à la parole : VERBAL

Qui a rapport à la peau : CUTANÉ

Qui a rapport à un des sens : AUDITIF,
     ODORANT, OLFACTIF, TACTILE,
     VISUEL

Qui a rapport au vent : ÉOLIEN

Qui a réussi un examen : LAURÉAT

Qui a telle durée : COURT, LONG

Qui a trait au mouvement écologiste : VERT

Qui a un caractère vénérable, conforme à la
     loi morale : SAINT

Qui a un don : TALENTUEUX

Qui a un groin : COCHON, PORC,
     SANGLIER, TRUIE

Qui a un jugement réfléchi : AVISÉ

Qui a un pouvoir sans bornes : TOUT-
     PUISSANT

Qui a un verre dans le nez : IVRE

Qui a une conception souvent utopique des
     valeurs sociales : IDÉALISTE

Qui a une grosse tête : ÂNE, ÂNESSE

Qui a une pente raide : ESCARPÉ

Qui a une saveur aigre et rude : AMER

Qui a une saveur aigre : ACIDE

Qui a vu le jour : NÉ

Qui accable : ÉCRASANT

Qui affecte douloureusement : CUISANT

Qui aime beaucoup sa patrie :
NATIONALISTE

Qui aime la solitude : MISANTHROPE

Qui aime le travail intellectuel : STUDIEUX

Qui aime plaisanter : RIEUR

Qui aime sortir tard le soir : NOCTAMBULE

Qui annonce la gaieté : RIANT

Qui appartient à l'enfance : PUÉRIL

Qui appartient au lion : LÉONIN

Qui arrive après : ULTÉRIEUR

Qui arrive avant : ANTÉRIEUR

Qui bêle : AGNEAU, BREBIS, MOUTON

Qui blesse par sa méchanceté : AMER

Qui brait : ÂNE, ÂNESSE, ÂNON

Qui cause une sensation de brûlure :
ARDENT

Qui choque les bienséances : OSÉ

Qui combine adroitement :
CALCULATRICE

Qui comporte deux éléments : DUAL

Qui concerne la vie matérielle : TERRESTRE

Qui concerne les brebis et les moutons :
OVIN

Qui concerne les oiseaux : AVIAIRE

Qui concerne les paysans : RURAL

Qui concerne un ensemble de personnes :
COLLECTIF

Qui concerne une mer située entre la Grèce
et la Turquie : ÉGÉEN
Qui conserve une teinte naturelle : ÉCRU
Qui constitue un usage excessif : ABUSIF
Qui contient de l'eau : AQUEUX
Qui coûte cher : ONÉREUX
Qui demande la charité : MENDIANT
Qui dépasse l'imagination : IMPENSABLE
Qui dépend des circonstances : ÉVENTUEL
Qui désire passionnément réussir :
AMBITIEUX
Qui disparaît rapidement : FUGITIF
Qui dit la vérité : SINCÈRE
Qui doit de l'argent : ENDETTÉ
Qui donne beaucoup de fleurs : FLORIFÈRE
Qui donne une impression de douceur :
OUATE
Qui dure douze mois : ANNUEL
Qui dure six mois : SEMESTRIEL
Qui ennuie énormément : ENDORMANT
Qui ennuie par son insistance : IMPORTUN
Qui éprouve de l'attirance pour :
AMOUREUX
Qui éprouve une grande fatigue physique :
LAS
Qui est à l'aise financièrement : RICHE
Qui est altéré par la présence d'éléments
étrangers : IMPUR
Qui est au-dehors : EXTERNE

Qui est bâti de telle façon : TAILLÉ

Qui est cher : AMI

Qui est conforme aux mœurs : MORAL

Qui est d'un niveau mental très supérieur à la moyenne : SURDOUÉ

Qui est d'une candeur un peu sotte : INGÉNU

Qui est d'une constitution délicate : MALINGRE

Qui est dans le secret : INITIÉ

Qui est dépourvu de chaleur : SEC

Qui est difficile à trouver : RARE

Qui est doué : TALENTUEUX

Qui est employé : USITÉ

Qui est en feu : IGNÉ

Qui est épris de quelqu'un : AMANT

Qui est exécuté d'une façon nette : PRÉCIS

Qui est facile à émouvoir : TENDRE

Qui est fondé en justice : LÉGITIME

Qui est hors de compétition : OUT

Qui est né : ISSU

Qui est objectif : NEUTRE

Qui est porté vers les plaisirs érotiques : SENSUEL

Qui est profitable : UTILE

Qui est rude au toucher : RÊCHE

Qui est sans corruption : PUR

Qui est sans effet : INOPÉRANT

Qui est sans jugement : ÉCERVELÉ

Qui est sans vitalité : ATONE
Qui est souvent dans la lune : RÊVEUR
Qui est vil : IGNOBLE
Qui exécute une tâche ingrate et sans éclat :
     TÂCHERON
Qui exprime la gaieté : RIEUR
Qui exprime un avis commun : UNANIME
Qui fabrique des meubles : ÉBÉNISTE
Qui fait naître un désir : TENTANT
Qui fait preuve d'une attitude discrimi-
     natoire: RACISTE, SEXISTE,
     XÉNOPHOBE
Qui fait un étalage intempestif d'un savoir
     mal assimilé : CUISTRE
Qui fatigue : RASEUR, USANT
Qui forme un bloc compact : MASSIF
Qui fournit une matière textile : ABACA
Qui leur appartient : LEUR
Qui lui appartient : SIEN
Qui m'appartient : MIEN
Qui manifeste de l'ardeur : FOUGUEUX
Qui manifeste de la désillusion :
     DÉSENCHANTÉ
Qui manifeste de la méchanceté : CRUEL
Qui manifeste du ressentiment :
     RANCUNIER
Qui manifeste son bonheur : RADIEUX
Qui manque à certains engagements :
     INFIDÈLE

Qui manque d'envergure : ÉTROIT

Qui manque de dynamisme : ATONE

Qui manque de force : FAIBLARD

Qui mène une vie aventureuse :
     BOURLINGUEUR

Qui méprise la religion : IMPIE

Qui met du temps à agir : LENT

Qui n'a aucune reconnaissance : INGRAT

Qui n'a ni commencement ni fin : ÉTERNEL

Qui n'a pas d'éclat, de poli : MAT

Qui n'a plus aucun crédit : BRÛLÉ

Qui n'a que le nom : NOMINAL

Qui n'aime pas dépenser son argent :
     PINGRE

Qui n'est pas altéré : NATUREL, PUR

Qui n'est pas ambidextre : DROITIER,
     GAUCHER

Qui n'est pas bon marché : CHER

Qui n'est pas courant : INUSUEL

Qui n'est pas de bonne qualité : MAUVAIS

Qui n'est pas fixé : ERRANT

Qui n'est pas pauvre : NANTI

Qui n'est pas régulier : DISCONTINUÉ

Qui n'est pas sédentaire : ITINÉRANT

Qui n'est plus neuf : USAGÉ

Qui n'offre aucun danger : SÛR

Qui ne change pas facilement d'idée :
     ENTÊTÉ

Qui ne comporte pas d'enjeu : AMICAL

Qui ne doit pas prendre le volant : IVRE
Qui ne fait pas mal : INDOLORE
Qui ne fonce pas souvent : TIMIDE
Qui ne gaspille pas son argent : AVARE
Qui ne manque pas d'argent : AISÉ
Qui ne manquera pas de se produire :
    CERTAIN
Qui ne pèse pas sur l'estomac : LÉGER
Qui ne peut être divisé : UN
Qui ne peut être entravé : IRRÉVERSIBLE
Qui ne peut pas parler : MUET
Qui ne présente aucune anomalie : SAIN
Qui ne prête à aucun doute : NET
Qui ne produit rien : ARIDE
Qui ne stresse pas : REPOSANT
Qui nous appartient : NOS
Qui nous fait des confidences : AMI
Qui nous vient en naissant : INNÉ
Qui occasionne de grosses dépenses :
    ONÉREUX
Qui occupe la place la plus proche : VOISIN
Qui passionne : CAPTIVANT
Qui peut arrêter une hémorragie :
    HÉMOSTATIQUE
Qui peut être allongé sans se rompre :
    DUCTILE
Qui possède juridiquement quelque chose :
    TITULAIRE
Qui proteste à tout propos : RÂLEUR,
    RÂLEUSE

Qui provoque des dépenses excessives :
    RUINEUX

Qui publie des livres : ÉDITEUR

Qui rappelle le souvenir d'une personne :
    COMMÉMORATIF

Qui recherche les événements imprévus :
    AVENTURIER

Qui reflète la joie, le bonheur : RIANT

Qui règle sa conduite selon les circonstances
    : OPPORTUNISTE

Qui rejette toute autorité : ANARCHISTE

Qui rend service : UTILE

Qui rend stupide : ABRUTISSANT

Qui résiste au toucher : DUR

Qui reste sans résultat : NUL

Qui s'attache avec intransigeance à une
    opinion : DOCTRINAIRE

Qui s'impose à l'esprit : CRIANT

Qui s'abstient de prendre parti : NEUTRE

Qui sait réunir des gens pour une action
    commune : RASSEMBLEUR

Qui saute aux yeux : ÉVIDENT

Qui se déplace sur le sol : TERRESTRE

Qui se fait en cachette : CLANDESTIN

Qui se produit soudainement :
    INSTANTANÉ

Qui se rapporte aux relations entre époux :
    CONJUGAL

Qui soigne les personnes âgées : GÉRIATRE

Qui sort de l'ordinaire : FORMIDABLE
Qui succède à une autre chose : ULTÉRIEUR
Qui t'appartient : TIEN
Qui tranche : ACÉRÉ
Qui va droit au but : DIRECT
Qui vient en naissant : INNÉ
Qui vient grâce à l'apprentissage : ACQUIS
Qui vit seul pour faire pénitence : ERMITE
Qui vit sur la partie solide du globe :
    TERRESTRE
Qui voit la vie du bon côté : OPTIMISTE
Qui vous appartient : VOS
Quittance : REÇU
Quitter adroitement : SEMER
Quitter son poste sans autorisation :
    DÉSERTER
Quitter : LAISSER
Quote-part : ÉCOT
Quotient intellectuel : QI

R

Raboteux : INÉGAL
Raccommoder : REPRISER
Race de chien d'origine anglaise : POINTER,
    POINTEUR

Racine d'Amérique du Sud : IPÉCA
Radian : RD
Radon : RN
Rage : IRE
Ragoût d'origine nord-africaine : TAJINE
Railler : IRONISER
Raillerie : IRONIE
Railleur : IRONISTE
Raire : RÉER
Raisin blanc de table : CHASSELAS
Rallier : RAMEUTER
Ramdam : TAPAGE, VACARME
Ramener au calme : APAISER
Rameuter : RALLIER
Rancœur : AMERTUME
Rapace diurne : BUSE
Râper : USER
Rappeler au souvenir : RETRACER
Rapport entre des personnes ayant des traits
     communs : RESSEMBLANCE
Rapport entre l'âge mental et l'âge réel,
     multiplié par 100 : QI
Rapprocher : SERRER
Raser : DÉTRUIRE
Rassasié : REPU
Rassembler : REGROUPER
Rat palmiste : XÉRUS
Ravager : DÉTRUIRE, RUINER
Rayon : RAI

Réagir de façon normale à une question :
RÉPONDRE

Réalité abstraite qui n'est conçue que par
l'esprit : ENTITÉ

Récent : NEUF

Récepteur radio : TUNER

Récepteur : TÉLÉ

Réchauffer légèrement : TIÉDIR

Récipient en cuivre : CANNE

Récipient en terre réfractaire : CREUSET

Récipient : FÛT, GAMELLE, RÉSERVOIR,
SUCRIER, TEST, TÊT, VASE

Récit d'un fait curieux : ANECDOTE

Récit populaire traditionnel : LÉGENDE

Réciter avec peine : ÂNONNER

Réclamer : NÉCESSITER

Recommencer à être comme avant :
REDEVENIR

Récompense cinématographique : OSCAR

Récrimination à l'adresse de quelqu'un :
VITUPÉRATION

Reçu : EU

Recueil de lois : CODE

Recueil de récits plaisants : ANA

Recueillir : AVOIR

Reculer : RÉGRESSER

Redire : RÉPÉTER

Redonner des forces : RETAPER

Redonner : RENDRE

Réduire au silence : MUSELER
Réduire de volume par pression : TASSER
Réduire en miettes : RÂPER
Réer : CRIER, RAIRE
Réfection : RESTAURATION
Réfléchir la lumière avec scintillement :
    MIROITER
Réfléchir : PENSER
Reflets irisés d'une perle : ORIENT
Refuge : ASILE, REPAIRE
Refus : NON
Refuser d'admettre : NIER
Régal de berger : OS
Regarder à la dépense : LÉSINER
Regarder avec dédain, avec défi : TOISER
Regarder : VOIR
Régie des installations olympiques : R.I.O.
Regimber (se) : RUER
Regimber : RUER
Région d'Allemagne : HESSE
Région sèche : REG
Règle obligatoire : LOI, NORME
Règle : TÉ
Régler avec autorité : STATUER
Réintroduire dans un groupe social :
    RÉINSÉRER
Rejeter hors de la bouche : CRACHER
Réjoui : GAI
Relatif à des viscères : RÉNAL

Relatif à l'aviation : AÉRIEN
Relatif à l'élevage des huîtres :
    OSTRÉICOLE
Relatif à la planète Jupiter : JOVIEN
Relatif à un seul objet d'un ensemble :
    UNITAIRE
Relatif au chien : CANIN
Relatif au nom d'une personne : NOMINAL
Relatif au raisin : UVAL
Relatif aux marines de guerre : NAVAL
Religieux : CURÉ, FRÈRE, MOINE, PRÊTRE
Remarquable : ÉTONNANT
Remettre en bon état : RESTAURER
Remorquer un navire : TOUER
Rempli d'une idée : IMBU
Remporté : EU
Remuer : AGITER, ÉMOUVOIR
Renard polaire : ISATIS
Rencontre de deux voyelles : HIATUS
Rend la partie nulle, aux échecs : PAT
Rend service au golfeur : TEE
Rendre malheureux : ATTRISTER
Rendre moins aigu : ÉMOUSSER
Rendre moins fort, moins pénible, moins
    rude : ADOUCIR
Rendre moins ignorant : DÉGROSSIR
Rendre moins pollué : ÉPURER
Rendre moins touffu : AÉRER
Rendre moins vif : ÉMOUSSER

Rendre plus long : ÉTIRER
Rendre plus solide : ASSURER
Rendre public : ANNONCER, ÉBRUITER
Rendre quelqu'un réceptif à : SENSIBILISER
Rendre semblable : ÉGALISER
Rendre service : AIDER
Rendre stupide : ABÊTIR
Rendre valable : ENTÉRINER
Rendu excitant : PIMENTÉ
Rendu lumineux par une chaleur intense :
     INCANDESCENT
Rendu moins exubérant : ASSAGI
Rendu : ARRIVÉ
Rendue par celui qui meurt : ÂME
Renfermer : RECELER
Renforce une affirmation : DA
Renommer : RÉÉLIRE
Renvoi : ROT
Renvoyer : SACQUER, SAQUER
Repaire : NID
Répandre çà et là : SEMER
Répandre de tous côtés : ÉPARPILLER
Répartir dans le temps : ÉTALER
Répartition : TRI
Répété plusieurs fois : ITÉRATIF
Répéter : RÉITÉRER
Répit : TRÊVE
Replacer : REMETTRE
Repli de la peau : FANON

Replier sur soi-même : BLOTTIR
Répondre vivement à : RIPOSTER
Réponse de troubadour : OC
Réponse : NON, OUI
Reporter au pouvoir : RÉÉLIRE
Repos dans un vers : CÉSURE
Reposoir : AUTEL
Reprendre quelqu'un qui avait disparu :
     RETROUVER
Représentant officiel du pape : LÉGAT
Représentation imprimée d'un sujet
     quelconque : IMAGE
Représenter en détail avec plus ou moins
     d'exactitude : DÉPEINDRE
Réprimande : LEÇON
Réprimander : MORIGÉNER, TANCER
Reprise après un déclin : RENOUVEAU
Reproduire exactement : IMITER
Reptile fossile : TRICERATOPS (et tous les
     dinosaures)
Reptile saurien : IGUANE
Reptile : CROCODILE, LÉZARD, SERPENT,
     TORTUE (et plusieurs autres...)
République d'Irlande : EIRE
République islamique : IRAN
Réputation : NOM
Réservoir : CITERNE
Résine aromatique : ENCENS
Résine d'odeur fétide, malodorante : ASE

Résine synthétique employée comme
succédané de l'ambre : BAKÉLITE
Résistant : FORT
Résonner lentement, par coups espacés :
TINTER
Respect profond : RÉVÉRENCE
Respiration forte et saccadée :
HALÈTEMENT
Responsable des soins d'un éléphant :
CORNAC
Ressemble à un phoque : OTARIE
Ressemble à une sardine : ALOSE
Ressemble au lama : VIGOGNE
Ressemble un peu à un écureuil : XÉRUS
Ressentir : AVOIR
Resserrer dans un petit espace : TASSER
Reste vert : IF
Rester : DEMEURER
Restes de poulet : OS
Résultat de la division : QUOTIENT
Résultat de la multiplication : PRODUIT
Résultat : SOMME
Retenir par des obligations : EMPÊCHER
Retirer : ÔTER
Retourner : ÉMOUVOIR
Retrait d'une ligne : ALINÉA
Retrancher : ÔTER
Rétribution perçue par des artistes :
CACHET

Réunion où l'on danse : BAL
Réunion : SÉANCE
Réunion, fête mondaine : RAOUT
Réussir socialement : ARRIVER
Rêvé : IDÉAL
Revenant : FANTÔME
Revenir dans un lieu qu'on avait quitté :
    RÉINTÉGRER
Revenu annuel : RENTE
Revers : DOS
Revêtement d'or : DORURE
Revoir pour corriger : RÉVISER
Rhénium : RE
Ricaner : RIRE
Riche : AISÉ
Richesse : OR
Ridicule : RISIBLE
Ridiculiser par des propos ironiques :
    PERSIFLER
Rigide : DUR
Rigoler : RIRE
Rire d'une manière méprisante : RICANER
Rire un peu : RIOTER
Risette : SOURIRE
Risquer : OSER
Rivière d'Alsace : ILL
Rivière d'Autriche : INN
Rivière de Roumanie : OLT
Robuste : SAIN

Roche sédimentaire : ARGILE, GRÈS
Roche : ÉMERI
Rôdailler : ERRER
Rogne : IRE
Rognon : REIN
Roi de France : HENRI
Roi légendaire d'Athènes : ÉGÉE
Roi légendaire de Pylos : NESTOR
Roi légendaire : ATHAMAS
Romain : ITALIEN
Romains (chiffres) : I, II, II, IV, V, VI, VII, VIII,
    IX, X, L, C, D, M
Roman policier à suspense : THRILLER
Romanichel : GITAN
Rond : CERCLE
Ronger lentement : ÉRODER
Ronger : USER
Rongeur d'Afrique : XÉRUS
Rongeur : ÉCUREUIL, HAMSTER, LAPIN,
    RAT, TAMIA (et plusieurs autres...)
Ronsard en a écrit plus d'une : ODE
Rot : ÉRUCTATION
Roue à gorge : RÉA
Rouge foncé : CRAMOISI
Roulement de tambour : RA
Ruban étroit : LISIÈRE
Rubidium : RB
Rugueux : RUDE
Ruiné : CUIT

Ruminant : (Voir Animal ruminant)
Rupture des glaces : DÉBÂCLE
Ruthénium : RU

S

S'abstenir de : ÉVITER
S'adresser à Dieu : PRIER
S'arrêter : CESSER
S'égosiller : CRIER
S'emploie pour chasser : OUST
S'enfonce en tournant : VIS
S'entend après un coup : AÏE
S'entend de loin : HURLEMENT
S'entend sur un court : ACE
S'entretenir : DIALOGUER
S'incliner : OBÉIR
S'intéresse à notre date de naissance :
        ASTROLOGUE
S'interpose dans des affaires galantes pour
        de l'argent : ENTREMETTEUR
S'introduire : ENTRER, PÉNÉTRER
S'obtient après le barattage de la crème :
        BABEURRE
S'oppose au bien : MAL
S'oppose au mal : BIEN
S'opposer efficacement à l'action de quelque
        chose : CONTRER

S'utilise pour interpeller quelqu'un : EH
Sa capitale est Abuja : NIGERIA
Sa vie est très pénible : GALÉRIEN
Sable mouvant : LISE
Saillie : ÉMINENCE
Saint, sainte : ST, STE
Salir : TERNIR
Salle de cours à gradins : AMPHITHÉÂTRE
Salle de grandes dimensions et largement
    ouverte : HALL
Salut latin, romain : AVÉ
Salutaire : UTILE
Salve : TIR
Samarium : SM
Sandales à lanières croisées : SPARTIATES
Sanguinaire : CRUEL
Sans aspérités : UNI
Sans aucune valeur : NUL
Sans déguisement : NU
Sans détour : DIRECT
Sans diversité : UNI
Sans effet : NUL
Sans fringues : NU
Sans importance : ANODIN
Sans jugement : ÉCERVELÉ
Sans préambule : TOUT DE GO
Sans résultat : STÉRILE
Sans souplesse : RAIDE
Sans tache : NET

Sans valeur : NUL
Sans variété : UNI
Sans vigueur : ATONE
Sans voix : MUET
Santorin en est une : ÎLE
Satellite naturel de la Terre : LUNE
Satellite : ASTRE
Satisfaisant : BIEN
Saucisson cru de Lyon : ROSETTE
Saucisson cuit : MORTADELLE
Saumon de petite taille : SMOLT
Sauter : OMETTRE
Sauvé par Énée : ANCHISE
Savant : ÉRUDIT
Saveur aigre : ACIDITÉ
Savoir : CONNAÎTRE
Scandale provoqué par un événement
        fâcheux : ESCLANDRE
Scandaliser : OUTRER
Scandium : SC
Sceptique grec : PYRRHON
Sceptique : ZÉTÉTIQUE
Science de l'hérédité : GÉNÉTIQUE
Sculpteur : ARTISTE
Sculpture funéraire : GISANT
Sculpture : TOTEM
Se boit dans les pubs : ALE
Se crie en Espagne : OLLÉ, OLÉ
Se décline à la police : IDENTITÉ

Se déplace sans faire de pollution : PIÉTON
Se dit à Barcelone : EL
Se dit à la fin de la messe : ITE
Se dit à Londres : SIR
Se dit au Mexique : EL
Se dit au tennis : ACE
Se dit d'un code : POSTAL
Se dit d'un cœur généreux : OR
Se dit d'un mouvement naturel où la volonté
  n'a pas de part : MACHINAL
Se dit d'un mur sans porte ni fenêtre : ORBE
Se dit d'un partage peu équitable : LÉONIN
Se dit d'un pied affecté d'une déformation
  congénitale : BOT
Se dit d'un produit qui nettoie :
  DÉTERGENT
Se dit d'un produit qui tue les micro-
  organismes pathogènes : GERMICIDE
Se dit d'un sommeil profond : LOURD
Se dit d'un terme qui exprime une idée de
  nombre : NUMÉRAL
Se dit d'un tissu qui comporte des fils de
  métal : LAMÉ
Se dit d'un vent : ÉTÉSIEN
Se dit d'une bataille qui divertit : NAVALE
Se dit d'une couleur qui n'est ni franche ni
  vive : NEUTRE
Se dit d'une empreinte : DIGITALE
Se dit d'une heure exacte : PILE

Se dit d'une odeur forte et répugnante :
    FÉTIDE
Se dit d'une personne élancée :
    LONGILIGNE
Se dit d'une photo (bien) prise : CADRÉE
Se dit d'une roche : IGNÉE,
    MÉTAMORPHIQUE, SÉDIMENTAIRE
Se dit de certains frères : SIAMOIS
Se dit de certains muscles : SCALÈNES
Se dit de certains yeux : PERS
Se dit de la senteur des algues : IODÉE
Se dit des cheveux : ÉPI
Se dit du pain qui n'est plus frais : RASSIS
Se dit du système de procédure où celle-ci
    est dirigée par le juge : INQUISITOIRE
Se dit en espagnol : EL
Se dit entre amis, entre intimes : TU
Se donner beaucoup de peine : SUER
Se fabrique dans une brasserie : ALE
Se fait au bureau de poste : TRI
Se fait avec de petits fruits : ASTI
Se fait avec des baguettes, sur une peau : RA
Se fait parfois par le bas : NIVELLEMENT
Se jette dans l'Adriatique : PÔ
Se jette dans la Seine : EURE
Se joue beaucoup en France : BELOTE
Se lit au bas d'un texte : NOTE
Se met autour de la taille : OBI
Se met sous la pluie : IMPER

Se mettent aux pieds : GODASSES
Se parlait dans l'Antiquité : IBÈRE
Se parle au Pakistan : URDU
Se porte sur le kimono : OBI
Se porte sur les épaules : CHÂLE
Se termine le Jeudi saint : CARÊME
Secret : CLANDESTIN
Sédatif : CALMANT
Sédition : ÉMEUTE
Séduire : ALLÉCHER
Séjour à la campagne pour prendre du repos:
    VILLÉGIATURE
Sel de l'acide urique : URATE
Sélectionner : TRIER
Sélénium : SE
Semblable : ÉGAL, TEL
Semer : PROPAGER
Sens moral personnel : ÂME
Sens : TOUCHER, OUÏE, VUE, ODORAT,
    GOÛTER
Sensation auditive : SON
Sent le sapin : IF
Sent souvent mauvais : PET
Sentiment de satisfaction : FIERTÉ
Sentiment exagéré de sa propre valeur :
    ORGUEIL
Sentiment qui porte à surpasser quelqu'un :
    ÉMULATION
Sentiment très intense : AMOUR

Sentir : FLEURER

Séparation des cheveux : RAIE

Sépare partiellement l'Ukraine et la
    Moldavie : DNIESTR, DNESTR

Séparer : DÉSUNIR

Sept : VII

Sera une goutte d'eau dans la mer : RU

Série de zigzags : LACET

Serpent de grande taille : EUNECTE

Serpent venimeux : CROTALE

Serrer avec une corde : LIER

Sert à caler une autre pièce : TASSEAU

Sert à combattre les maladies : REMÈDE

Sert à désigner certains ferments : ASE

Sert à désigner quelqu'un, quelque chose :
    CE

Sert à enfoncer les pavés : HIE

Sert à fixer les teintures : ALUN

Sert à indiquer une équivalence : OU

Sert à l'écoulement des eaux : FOSSÉ

Sert à la coupe mécanique du gazon :
    TONDEUSE

Sert à laver : LESSIVE

Sert à lier les sauces : ROUX

Sert à lier : (Voir Conjonction)

Sert à ouvrir ou à fermer des portes ou des
    tiroirs : CLÉ

Sert à réparer une chambre à air : RUSTINE

Sert à suspendre : ESSE

Sert au lavage du conduit auditif : ÉNÉMA

Sert au transport des chevaux : VAN

Sert au vote : URNE

Sert de protection pour l'exercice de certains
    sports : GENOUILLÈRE

Sert de refuge à des malfaiteurs : REPAIRE

Sert de repère, au golf : PAR

Servait à drainer une plaie : SÉTON

Servait de protection : ÉCU

Servent à jouer : DÉS

Service du travail obligatoire, en France :
    STO

Service militaire : RÉGIMENT

Servir d'une mitraillette (se) : TIRER

Servir de sa tête (se) : RAISONNER

Ses feuilles sont dentelées : ORME

Ses fleurs sont jaunes : INULE

Ses fruits ont une paire d'ailes : ÉRABLE

Ses rameaux sont flexibles : OSIER

Seul : UN

Sévère et brutal : RUDE

Siège à New York : ONU

Siège de cérémonie : TRÔNE

Siège de la conception : SEIN

Siège : CHAISE

Sieste : MÉRIDIENNE

Sievert : SV

Sigle du vaccin contre la typhoïde et les
    paratyphoïdes A et B : TAB

Signal acoustique bref : BIP
Signal bref : STOP, TOP
Signe de ralliement : ÉTENDARD
Signe de tête : NON
Signe en forme d'étoile : ASTÉRISQUE
Signe graphique : LETTRE
Signification : SENS
Silex qui a l'apparence d'un objet taillé par
      l'homme : ÉOLITHE
Silicate naturel de magnésium : TALC
Sillon cutané : RIDE
Sillon léger sur une surface : RIDE
Simuler pour tromper : FEINDRE
Sine : PAPETERIE
Singe : ATÈLE, SAI
Singe-araignée : ATÈLE
Sirocco : VENT
Site de Laval et de Montréal : ÎLE
Situation d'une personne qui accomplit un
      travail gratuitement : BÉNÉVOLAT
Situation de quelqu'un qui se sent à l'abri du
      danger : SÉCURITÉ
Situé à la limite d'un région : LIMITROPHE
Situé : SIS
Situer : LOCALISER, SEOIR
Six : VI
Sociable : LIANT
Société anonyme : SA
Sodium : NA

Soigner : TRAITER

Soldat de l'arme du génie : SAPEUR

Soldat de l'armée américaine : GI

Solide : DUR

Solidement fondé : ASSIS

Solliciter une réponse : DEMANDER

Solution : CLÉ

Somme que l'assuré doit à l'assureur :
PRIME

Somme que l'on donne au moment de la
conclusion d'une promesse d'achat :
ARRHES

Sommeil : DODO

Sommet des Alpes : CERVIN

Sommet montagneux de forme arrondie :
DÔME

Sommet : CIME

Son bois brûle bien : PIN

Son bois est souple : ORME

Son coup est au début d'une partie : ENVOI

Son coup est une prise illégale du pouvoir :
ÉTAT

Son début s'arrose : AN, ANNÉE

Son esprit est borné : ÂNE

Son étreinte est puissante : ÉTAU

Son fruit fournit l'huile de palme : ÉLÉIS

Son fruit sert de condiment : CORIANDRE

Son huile est employée comme purgatif :
RICIN

Son jus est le vin : TREILLE

Son petit est le faon : CERF

Son résultat est le quotient : DIVISION

Son sirop a bon goût : ÉRABLE

Songe : RÊVE

Songer : PENSER, RÊVER

Sont en retard : ATTARDÉS

Sort d'un volcan : LAVE

Sort de l'eau : ÉMERGE

Sort de l'organisme maternel : LAIT

Sort du pis : LAIT

Sortait de la bouche du curé : ITE

Sorte d'écrit : NOTE

Sorte de boîte : ÉTUI

Sorti de l'œuf : ÉCLOS

Sortie : ISSUE

Sortir vivant d'une catastrophe : RESCAPER

Sortir : NAÎTRE

Souffle du Nord : ÉTÉSIEN

Souffrance : DOULEUR, MAL

Souhait : ATTENTE, RÊVE

Soumettre à un certain ordre :
     HIÉRARCHISER

Soupçon : DOUTE

Soupirant : AMOUREUX

Souplesse : AGILITÉ

Source d'énergie : EAU

Souriant : GAI

Sous la croûte : MIE

Sous la nappe : TABLE
Sous le gratin : LIE
Sous le menton : COU
Sous les verres et les assiettes : NAPPE
Sous un sabot : FER
Sous un véhicule : ESSIEU
Sous une balle : TEE
Sous une statue : SOCLE
Sous-système du jurassique : LIAS
Soustraire adroitement à (se) : ÉLUDER
Soustraire : ÔTER
Soutenir : ÉPAULER
Soutien de table : TRÉTEAU
Soutirer : AVOIR
Souverain : EMPEREUR, MONARQUE,
    PRINCE, REINE, ROI, TSAR
Souverain : INDÉPENDANT
Spécialiste des opérations de levés de terrain:
    GÉOMÈTRE
Spécialité bretonne : CRÊPE
Spectacle au pays du saké : NO
Sport de tir : SKEET
Sport : BASE-BALL, BASKET-BALL, BOXE,
    ESCRIME, FOOTBALL, HOCKEY,
    LUGE, LUTTE, NATATION,
    PATINAGE, SOCCER, TENNIS (et
    plusieurs autres...)
Sportif : BOXEUR, LUTTEUR, NAGEUR
Station thermale belge : SPA

Stère : ST
Stériliser : ASEPTISER, UPÉRISER
Stokes : ST
Stratégie : TACTIQUE
Strontium : SR
Strophe ou poème de neuf vers : NEUVAIN
Stupéfier : ÉPATER, SIDÉRER
Stupidité : BÊTISE
Style de jazz : BOP
Style de mobilier français : LOUIS SEIZE
Style de nage : PAPILLON
Substance dure et blanche : ÉMAIL
Substance dure, riche en calcaire : NACRE
Substance irisée utilisée en marqueterie :
    NACRE
Substance osseuse : IVOIRE
Substance parfumée : IRIS
Substance sécrétée par le foie : BILE
Substance végétale odoriférante :
    AROMATE
Substance vitreuse : ÉMAIL
Substantif : NOM
Succédané du sucre : ASPARTAME
Succédané : ERSATZ
Succès de librairie : BEST-SELLER
Succès : HIT
Succession : SUITE
Sucer du lait : TÉTER
Sucer : ABSORBER

Sud-Est : SE
Sud-Ouest : SO
Suffixe : ITE
Suisse : HELVÈTE
Suit de longues années au travail :
    RETRAITE
Suit do : RÉ
Suit fa : SOL
Suit l'automne : HIVER
Suit l'été : AUTOMNE
Suit l'hiver : PRINTEMPS
Suit la : SI
Suit le docteur : ES
Suit le jour : NUIT
Suit le printemps : ÉTÉ
Suit mi : FA
Suit ré : MI
Suit si : DO
Suit sol : LA
Suite de circonvolutions : SPIRALE
Suite de mots : PAROLE
Suite : SÉRIE
Suivait parfois oui : DA
Suivre le bord : LONGER
Suivre une pente : DESCENDRE, MONTER
Sujet : ON
Sulfate d'aluminium et de potassium :
    ALUN
Supériorité d'un animal sur ses congénères :
    DOMINANCE

Superposer des poissons salés : LITER
Supplice : PAL
Supplier : PRIER
Support sur lequel on pose un tableau :
    CHEVALET
Supporter avec patience : TOLÉRER
Supporter sans faiblir : ENDURER
Supposition : SI
Supprimer la partie la plus haute de :
    ÉCRÊTER
Supprimer : ÔTER
Suprématie : DOMINATION
Sur l'enveloppe : ADRESSE
Sur la Côte d'Azur : NICE
Sur la paupière : CIL
Sur la table : NAPPE
Sur le derrière : ASSIS
Sur un bretzel : SEL
Surabondance : TROP-PLEIN
Surcharger : FARCIR
Suret : ACIDULÉ
Surface de la terre : SOL
Sur-le-champ : ILLICO
Surnommé : DIT
Surpasser dans l'estime d'autrui : ÉCLIPSER
Surprise : HA
Susceptible d'être attaqué : VULNÉRABLE
Suspension d'une activité : GEL
Symbole chimique : AC, AG, AL, AR, AT,

AU, BA, BR, BE, CE, CI, CO, CR, CS, CU, FE, FR, GA, GE, GD, IR, MN, NA, NE, NI, NP, OS, PA, PB, PD, PI, PT, PU, RB, RE, RU, SC, SE, SR, TB, TC, TI, TL, TM, XE, YB, ZN (il y en a une cinquantaine d'autres...)

Symbole d'une unité d'angle : TR

Symbole de la paix : OLIVIER

Symbole du paganisme : LÉVIATHAN

Symbole du sage : MENTOR

Symbole mathématique : PI

Système de retour en arrière d'un mécanisme : RAPPEL

Système montagneux de la Grèce : PINDE

T

Tabac en feuilles : VIRGINIE

Tabasser : ROUER

Tabellion : NOTAIRE

Table de boucherie : ÉTAL

Table d'opération : BILLARD

Tache arrondie dont le centre et le tour sont de deux couleurs différentes : OCELLE

Tache blanchâtre sur la cornée : ALBUGO, LEUCOMA, LEUCOME

Tache permanente de la cornée : TAIE

Taché : SALE, SALI
Taches rouges : ÉNANTHÈME
Taches sur la peau : NAEVI, NAEVUS
Taciturne : SILENCIEUX
Taille d'une personne : STATURE
Talent : DON
Tamis : SAS
Tamiser : SASSER
Tancer : RÉPRIMANDER
Tantale : TA
Tante : TATA
Tapage nocturne : SÉRÉNADE
Tapage : RAMDAM, VACARME
Taper : FRAPPER
Taquiner : AGACER
Tarabuster : HOUSPILLER, MALMENER
Tarir : ÉPUISER
Tas d'argent : TRÉSOR
Taudis : GALETAS
Taux calculé sur un capital de cent unités :
        POURCENTAGE
Taxe : TVA, TPS, TVQ
Technétium : TC
Téhéran en est la capitale : IRAN
Teint : CARNATION
Télégraphie sans fil : TSF
Tellure : TE
Témoignage de reconnaissance :
        REMERCIEMENT

Témoigner de la répugnance : RENÂCLER
Témoigner par sa mauvaise humeur de la
    mauvaise volonté à faire quelque chose:
    RECHIGNER
Témoigner : ATTESTER
Temple aztèque : TEOCALI, TEOCALLI
Temps futur : AVENIR
Temps libre : LOISIR
Ténacité : PERSÉVÉRANCE
Tendance à se préoccuper seulement de son
    propre plaisir : ÉGOÏSME
Tendrement aimé : CHÉRI
Tenir attaché : NOUER
Tenter avec audace : OSER
Tenture dressée au-dessus d'un lit :
    BALDAQUIN
Tenu à l'écart : ESSEULÉ
Tenu prêt à servir : PARÉ
Terbium : TB
Terme d'astrologie : ASCENDANT,
    BALANCE, BÉLIER, CANCER,
    CAPRICORNE, GÉMEAUX, LION,
    MAISON, POISSONS, SAGITTAIRE,
    SCORPION, SIGNE, TAUREAU,
    VERSEAU, VIERGE
Terme d'échecs : MAT
Terme d'informatique : OCTET
Terme de belote : DER
Terme de civilité : ADIEU

Terme de golf : PAR
Terme de musique : DIÈSE, OCTAVE, SOLFÈGE
Terme de photographie : ISO
Terme de scout : B. A.
Terme de ski : STEM
Terme de sport : OUT
Terme de tennis : ACE, QUINZE, SET, TRENTE
Terminaison : ER, IR, OIR, RE
Terminer : FINIR
Ternir : SALIR
Terrain couvert d'herbe : PRAIRIE
Terrain en pente : TALUS
Terrain plat et uni le long de la mer : GRÈVE
Terrasse d'où l'on peut voir au loin : BELVÉDÈRE
Terre non ensemencée : GUÉRET
Tête de rocher émergeant à marée basse : ÉTOC
Texte sous une photo : LÉGENDE
Thallium : TL
Théologien musulman : UKÉMA
Thulium : TM
Thymus de l'agneau ou du veau : RIS
Tige au collet d'une plante : TALLE
Tiré d'un péril de mort : SAUF
Tirer du néant : CRÉER
Tirer du sommeil : RÉVEILLER

Tissu conjonctif : TARSE
Tissu ou prénom : SERGE
Titane : TI
Titre abrégé : AR, EM
Titre : BARON, COMTE, NOM, ROI,
     SEIGNEUR, SIR, SULTAN
Toile de lin fine : LINON
Toile imperméable : ALÈSE
Tôle : PRISON
Tomber à la renverse : CULBUTER
Tomber en tournant sur soi-même :
     ROULER
Tonneau : FÛT
Tordre le linge : ESSORER
Torgnole : COUP
Toubib : MÉDECIN
Touche à la Colombie : BRÉSIL
Touche à la France : ALLEMAGNE,
     BELGIQUE, ESPAGNE, ITALIE,
     LUXEMBOURG, SUISSE
Touche aux Grisons : URI
Toucher par une extrémité à : ABOUTIR
Toucher pour reconnaître : TÂTER
Toucher : ÉMOUVOIR, RECEVOIR
Touffe de cheveux, de poils : ÉPI
Touffe de crins : FANON
Touffu : DRU
Tour : TR
Tourner : VIRER

Tout objet qui empêche de voir : ÉCRAN
Tragique : DRAMATIQUE
Traîneau : LUGE
Traitement médical : CURE, THÉRAPIE
Traiter avec rudesse : RABROUER
Traiter avec trop d'indulgence : GÂTER
Traiter quelqu'un de haut : SNOBER
Trajet d'un endroit à un autre : ALLER
Trajet : ITINÉRAIRE, ROUTE
Tranchant d'un instrument : FIL
Tranchant : ACÉRÉ
Tranche d'un gros poisson : DARNE
Tranche de pain : TARTINE
Tranche épaisse de veau : ROUELLE
Trancher finement : ÉMINCER
Tranquille et silencieux : COI
Tranquille : QUIET, SAGE
Tranquilliser : RASSURER
Transmettre à autrui la propriété de :
        ALIÉNER
Transpirer : SUER
Travail de l'esprit : ÉTUDE
Travailler un matériau pour lui donner une
        certaine forme : FAÇONNER
Traverse la Nubie : NIL
Traverse le Jura : RHIN
Traverse les lacs Kioga et Mobutu : NIL
Traverse Londres : TAMISE
Traverse Paris : SEINE

Traverser un lieu en tous sens : SILLONNER
Tremblement de terre : SÉISME
Tremblement : GRELOTTEMENT, TRILLE
Tremper : ARROSER
Très courant en Espagne : EL
Très court : RAS
Très étonnant : INOUÏ
Très facile à franchir : RU
Très faible quantité : SOUPÇON
Très fatigué : ÉPUISÉ, LAS
Très fin : TÉNU
Très grand arbre : SIPO
Très joli : RAVISSANT
Très mince : TÉNU
Très pâle : EXSANGUE
Très petit : MINUSCULE
Très rare en juillet : GEL
Tresse : NATTE
Tribunal : COUR
Tributaire de la mer Noire : DNIESTR,
    DNESTR
Triste : AMER
Trois fois : TER
Trois : III
Troisième personne : IL, ELLE
Trompé : COCU
Tromper : AVOIR, BERNER, LEURRER
Tronc d'arbre parfaitement élagué : ÉCOT
Trop grande facilité à croire : CRÉDULITÉ

Trop libre : DÉLURÉ
Trop minutieux : TATILLON
Trop mûr et altéré : BLET
Trophée indien : SCALP
Trotte dans la tête : IDÉE
Trou creusé pour l'inhumation des morts :
      FOSSE
Trou important : NARINE
Trou : CAVITÉ
Trouble du sujet qui ne peut tenir debout :
      ASTASIE
Trouble : ÉMOI
Troubler : ÉMOUVOIR
Troupe qui en remplace une autre : RELÈVE
Trouvaille : ASTUCE
Trouver (se) : ÊTRE
Trouver dans un lieu (se) : ÊTRE
Trouver une nouvelle fois dans un état (se) :
      RETOMBER
Truc : ASTUCE
Tube pour aspirer le vin qu'on veut goûter :
      TASTE-VIN, TÂTE-VIN
Tuer : OCCIRE
Tumeur bénigne : VERRUE
Tumeur molle du jarret du cheval :
      VESSIGON
Tumeur osseuse du canon du cheval :
      SUROS
Type : GUS, MEC

U

Ultra-violet : UV

Un article au pays de la sangria : EL

Un bandit : AL CAPONE

Un bouc, par exemple : MÂLE

Un bras et une... : JAMBE

Un bruit qui choque bien des gens : PET

Un des points collatéraux : (Voir Point
     cardinal)

Un endroit où il y a du sang : ÉTAL

Un Martini, par exemple : APÉRO

Un oiseau qui vit en Australie : ÉMEU

Un pastis, par exemple : APÉRO

Un peu acide : SURET

Un peu de lumière : RAI

Un sens : OUÏE

Un soupçon : PEU

Un véhicule qui ne fait pas de bruit, qui ne
     pollue pas : VÉLO

Une des cavités du vestibule de l'oreille
     interne : UTRICULE

Une façon de mettre fin à une liste : ETC.

Une louche, par exemple : USTENSILE

Une mouche l'est : AILÉE

Une ou plusieurs personnes : ON

Une partie de la journée : A.M., APRÈS-
MIDI, AVANT-MIDI, MATIN,
MATINÉE, MIDI, NUIT, P.M., SOIR
Une pause au milieu de la journée : SIESTE
Une vraie tortue : AÏ
Uni et poli : LISSE
Uniquement : SEULEMENT
Unité d'équivalent de dose : REM
Unité de flux lumineux : LUMEN, LM
Unité de l'armée de l'air : ESCADRON
Unité de mesure d'équivalent de dose d'une
radiation ionisante : SIEVERT
Unité de mesure de surface : ARE
Unité de mesure de travail : ERG
Unité de mesure du volume : STÈRE
Unité de poids chez les anciens Romains :
AS
Unité de volume : LITRE
Unité des mesure des surfaces agraires :
ARE
Unité monétaire : BAHT, BOLIVAR,
COLON, COURONNE, DINAR,
DIRHAM, DOLLAR, DRACHME,
ESCUDO, EURO, FLORIN, FORINT,
FRANC, HRYVNA, LEI, LEU, LEV,
LIRE, LIVRE, MARK, ORE, PESATA,
PESO, RAND, REAL, RENMINBI,
RINGGIT, RIYAL, ROUBLE, ROUPIE,
SCHILLING, SEN, SHEKEL, SOL,

TOLAR, WON, YEN, ZLOTY (et il y en a d'autres...)

Ure : AUROCHS

Uriner : PISSER

Usage excessif : ORGIE

Usages : US

User de moyens détournés : BIAISER

User par frottement : ÉRODER

User : AFFAIBLIR, AVACHIR, ÉLIMER, ÉPOINTER, RONGER

Usine génératrice d'énergie électrique : CENTRALE

Usine : ACIÉRIE, CONSERVERIE, DISTILLERIE, FABRIQUE, FILATURE, FONDERIE, FORGE, MANUFACTURE, RAFFINERIE (et plusieurs autres...)

Usiner : MEULER

Ustensile de cuisine : RÔTISSOIRE

Usuel : COURANT

Utile aux golfeurs : TEE

Utile dans un laboratoire : TÊT

Utile dans une cuisine : USTENSILE

Utile en couture : DÉ

Utile en dessin : TÉ

Utile en menuiserie : TÉ

Utile pour un assemblage : RIVET

Utile sur un établi : ÉTAU

Utopique : CHIMÉRIQUE, IRRÉALISTE

Utopiste : IDÉALISTE

V

Va bien avec le tonic : GIN
Va sur une portée : DO (UT), RÉ, MI, FA,
    SOL, LA, SI
Vacancier : ESTIVANT
Vacarme : RAMDAM, TAPAGE
Vachement : TRÈS
Vaciller sur ses jambes : TITUBER
Vadrouiller : ERRER, RÔDER
Vague de la mer, forte et bien formée :
    LAME
Vaisseau spatial : NAVETTE, SOUCOUPE
Vaisseau : ARTÈRE, VEINE
Valeur péjorative : ASSE
Valise de petit format : MALLETTE
Vallée sauvage et encaissée : RAVIN
Vantard : HÂBLEUR
Vanter : LOUER
Vaporeux : ÉTHÉRÉ
Variante du préfixe in : IM
Variété de prune : ENTE
Vaste : ÉTENDU
Vaut 28,35 g : ONCE
Vaut 3,1416 : PI

Vaut environ 576 mètres : LI

Vautour d'Amérique tropicale : URUBU

Vedette : STAR

Véhicule public de grande taille : AUTOBUS,
    CAR

Véhicule : AUTOBUS, AUTOMOBILE,
    AVION, BATEAU, BICYCLETTE,
    CAMION, CAR, CARAVANE,
    HÉLICOPTÈRE, MOTOCYCLETTE,
    PLANEUR, NAVETTE, TRAIN, VÉLO,
    VOITURE (et plusieurs autres...)

Vendre quelque chose dont on veut se
    débarrasser : REFILER

Vénérable : SAINT

Venir après : SUCCÉDER

Venir au monde : NAÎTRE

Vent : ALIZÉ, AQUILON, KHAMSIN,
    MISTRAL, NOROÎT, SIMOUN,
    SIROCCO, SUROÎT, TRAMONTANE,
    ZÉPHIR

Vent : BISE, BRISE, PET, RAFALE

Ventiler : AÉRER

Ver parasite : HELMINTHE

Ver solitaire : TÉNIA

Verbe de droit : ESTER

Verger célèbre : ÉDEN

Vérification : TEST

Véritable : RÉEL, VRAI

Verni : CHANCEUX

Verre à l'oxyde de plomb : CRISTAL
Version originale : V.O.
Vertèbre : ATLAS, AXIS, COCCYX,
     SACRUM (et plusieurs autres...)
Veste ample qui arrive à mi-cuisse :
     PALETOT
Vêtement en tissu plastifié : CIRÉ
Vêtement sale : GUENILLE
Vétille : RIEN
Vibration acoustique : SON
Vibrer : ÉMOUVOIR
Victoire : GAIN
Vider l'eau : ÉCOPER
Vieille ville : UR
Vieillesse : ÂGE
Vient de sortir de l'enfance : ADO,
     ADOLESCENT
Vieux : ÂGÉ
Vif intérêt pour quelque chose :
     ATTIRANCE
Vif, en parlant d'une couleur : ARDENT
Vif, très vif : PERÇANT
Villa de Trivoli : ESTE
Ville d'Italie : ESTE
Ville de Belgique : LÉAN
Ville de la Mésopotamie : UR, OUR
Ville de Liège connue pour son eau : SPA
Ville de Syrie : ALEP, DAMAS, HOMS
Ville française libérée en 1944 par l'armée
     canadienne : DIEPPE

Ville où l'on fait des fouilles depuis 1919 :
    UR
Vin blanc : ASTI
Vin d'Andalousie : XÉRÈS
Vin de liqueur de Hongrie : TOKAI, TOKAÏ,
    TOKAY
Vin italien : ASTI
Vin : MADÈRE
Vinaigrette : SAUCE
Vingt-troisième lettre de l'alphabet grec :
    PSI
Violent : CRU
Violoniste d'origine russe : ISAAC STERN
Violoniste et chef d'orchestre d'origine russe
    : YEHUDI MENUHIN
Virage en ski : STEM, STEMM
Viscère : REIN
Viscères et boyaux : ENTRAILLES
Vite, en Italie : PRESTO
Vitre d'une lucarne à charnière : TABATIÈRE
Vive inquiétude : ANXIÉTÉ
Vocable : MOT
Vocabulaire particulier à un groupe social :
    ARGOT
Voie ferrée : RAIL
Voie urbaine : AUTOROUTE, AVENUE,
    BOULEVARD, RANG, RUE
Voile noir des femmes iraniennes :
    TCHADOR

Volcan en activité : IRRUPTION
Volcan : ETNA
Voler en éclats : SAUTER
Voler par des détournements frauduleux :
        PILLER
Vorace : GOULU
Vouer au malheur : MAUDIRE
Voûte azurée : CIEL
Vrille de charpentier : TARIÈRE
Vulgaire : TRIVIAL

X-Y-Z

Xénon : XE
Ytterbium : YB
Zèle : ARDEUR
Zététique : SCEPTIQUE
Zeus, personnages dans l'entourage de :
        AGÉNOR, ALCMÈNE, AMALTHÉE,
        AMPHION, AMPHITRYON,
        APHRODITE, APOLLON, ARÈS,
        ARTÉMIS, ASTRÉE, ATHÉNA,
        CADMOS, CASTOR, CRONOS,
        DANAÉ, DÉMÉTER, DIONYSOS,
        ÉAQUE, EUROPE, GANYMÈDE,
        HADÈS, HÉBÉ, HÉLÈNE,
        HÉPHAÏSTOS, HÉRA, HÉRACLÈS,

HERMÈS, ILITHYE, LÉDA, MINOS, NÉMÉSIS, PERSÉE, PERSÉPHONE, POLLUX, POSÉIDON, RHADAMANTE, RHÉA, SARPÉDON, TANTALE, TYPHON, ZÉTHOS (et il y en a d'autres...)

Zigouiller : TUER

Zinc : ZN

BONNE CHANCE EN FAISANT VOS MOTS CROISÉS

Il n'y a qu'une seule façon d'apprendre à faire des mots croisés: la pratique! C'est donc afin de vous aider dans votre cheminement et de laisser le moins de cases vides possible dans vos grilles que nous vous offrons cet ouvrage de référence.

Ce livre est le fruit du travail de quelques cruciverbistes qui ont mis en commun leurs trouvailles, créant ainsi une liste complète sans être exhaustive. En effet, il y a tant de possibilités qu'il serait utopique de croire en un ouvrage contenant absolument toutes les réponses.

Pourtant, pour terminer vos grilles de mots et vous amuser sans vous casser la tête sur une définition qui vous échappe, ce livre est un outil de référence utile et fort agréable à consulter.

Bonne lecture et, surtout, bons mots croisés!

Demandez notre catalogue
ET, EN PLUS, recevez un
LIVRE CADEAU
et de la *documentation*
sur nos *nouveautés**†

* DES FRAIS DE POSTE DE 3 $ SONT APPLICABLES.
FAITES VOTRE CHÈQUE OU MANDAT-POSTE À L'ORDRE
DE ÉDIMAG INC.

Remplissez et postez ce coupon à Édimag inc.
C.P. 325, Succursale Rosemont
Montréal, QC, CANADA
H1X 3B8

LES PHOTOCOPIES ET LES FAC-SIMILÉS NE SONT PAS ACCEPTÉS. COUPONS ORIGINAUX SEULEMENT

Allouez de 3 à 6 semaines pour la livraison.

* En plus de recevoir gratuitement le catalogue, je recevrai, et ce gratuitement, un livre au choix du département de l'expédition.
† Pour les résidents du Canada et des États-Unis seulement. Un cadeau par achat de livre et par adresse postale.

Mots croisés – Dictionnaire facile et pratique

Votre nom:..

Adresse:..

....

Ville:...

Province/État...

Pays:...

Code postal:...Âge:.............

Mots croisés – Dictionnaire facile et pratique

Québec, Canada
2000